青い約束

田村優之

ポプラ文庫

刊行にあたり、古くからの親友Sに感謝したい（著者）

青い約束

それは深い森の中で仰向けに横たわり、空を眺めているような不思議な構図の絵だ。

黒々とした大振りの枝が、キャンバスの四方から中央に向かって伸びている。キャンバスの真ん中、上空にあたる部分だけ視界が開け、夏を思わせる空が広がる。

この絵の印象を鮮烈なものにしているのは、その空の色だ。どうしたらこんな色を出せるのかと思うような美しい青の中に、光がまばゆく交錯している。

――すべてを忘れて、この青空と光の中へ飛び立っていけないだろうか。

絵を見る人間をそんな気持ちにさせるような何かが、その空の色には確かに存在していた。

1

財務省の板張りの廊下を歩きながら窓の外を見ると、中庭のアスファルトが十月とは思えない強い日差しに照らされ、白く光っていた。

中庭の駐車スペースには、黒塗りのハイヤーがいつもより多く停まっている。補正予算の作成が検討されていて、財政を一手に取り仕切るこの官庁に、多くの人々が日参を始めていることがわかった。

窓から吹き込んでくる風には、かすかな肌寒さも感じた。いくら陽光が烈しくても、季節は静かに、確実に移り変わろうとしている。

その時、上空を雲が横切ったのだろうか、日差しが不意に力を失い、廊下が驚くほど暗くなった。

——一瞬の日の翳り。

世界が暗転したような暗さにかすかな不安を感じ、宮本修一《みやもとしゅういち》は足を止めた。陳情客のために廊下に置かれたくたびれた長椅子、窓の下にはめ込まれた薄いベージュのタイル、石造りの灰色の階段――。見慣れたそのすべてが、光の弱まりとともに過去に呼び戻されていくような奇妙な感覚があった。

しかしそれはほんの短い間だった。

太陽を遮っていた雲が行き過ぎ、光はすぐに夏を思わせる強さを取り戻した。再び気持ちのいい風が頬に吹き付け、見上げると窓の外に青空がまぶしく広がっている。

少し前に感じた理由《わけ》のわからない不安を振り払うように、修一はそのまま国債課に向かって廊下を歩き出した。

「宮本さん、今日は時間がないから結論から言いますね。国債、売りのリポート書いて、早めに流してくんないかな」

安西《あんざい》は、安っぽい仕切りの立てられた応接スペースで、いつもと同じような大声で言った。少し薄くなり始めた頭髪を、ハンカチで無造作に後ろに拭きあげる。下腹がベルトの上にはみだし、脇のあたりが汗で黒く濡れている。

主計局から二カ月前に異動してきたばかりで、年齢を聞いたことはないが、修一より六、七歳上で、四十代後半ではないかと思えた。

「どうしたんです？　総理は財政再建を進めて国債の発行を減らす大原則は変わらない、って繰り返し言ってるじゃないですか」

内心の高ぶりを感じ取られないように、わざと冷静な口調で問い返した。彼が、何らかの内部情報をリークしようとしていることはわかっていたが、エサをぶら下げられて喜ぶ犬のように、軽く見られたくはない。

「駄目なんですよ。歳出カットは結構できそうなんだけど、意外に税収がね。まだ発表してないけど、九月は、二兆一千億円ちょっとしかいかない感じなんだ。特に所得税収がきついんですよ。夏のボーナスのカットや失業の増加とかでさぁ、やっぱり実体経済が予想以上に悪いんだろうなぁ」

思っていたよりはるかに悪い数字だった。確か財務省では二兆七千億円程度を見積もっていたはずだった。実に六千億円もの未達。

「……補正予算での国債発行が膨れ上がるということですね」

「うん。はっきり言って、九月の分を考え合わせると、年間じゃあ五兆円規模の税収不足になる。補正の時の国債の増発規模は、今まで見てた二、三兆じゃあ足りずに、五兆くらいいきそうだなぁ」

十分だと思った。この数字だけで、リポートは書ける。

予想以上の国債の増発。国債の価格について高値不安感が出ているだけに、増発で需給のバランスが崩れるという予測は市場に大きなインパクトを与えるはずだった。リポートをきっかけにした国債価格の下げもあり得る。

修一は東邦フィナンシャル・グループに属する東邦証券の、債券部門のチーフアナリストだった。グループ内だけでなく、銀行や生命保険など金融機関を中心とした顧客に、金利や経済動向の見通しをアドバイスするのが仕事だ。

それぞれの顧客のもとに出かけて金利や経済動向の話をする〝プレゼン〟のほかに、週に何本か、情勢を解説したリポートを書いて同報メールで送信する。

「九月税収の正式発表はいつですか？」

「数字がかっちりまとまるのは、多分、来週の前半かな。あんまり近いと嫌だから、さっそく明日か明後日にでも流しといてくれませんか。……当然ですけど、全部、宮本さんの独自の予想っていう、いつもの形式で」

ありがたかった。年末には東亜経済新聞社が毎年実施する、アナリストランキングの投票が控えている。国内外の金融機関に属する専門家たちを対象に、株式ストラテジスト、業種別の株式アナリスト、為替アナリストなど部門別に順位を決める大掛かりな調査で、投票するのは約三百の金融機関の顧客だ。

各部門で上位に入ることは、専門能力の高さを顧客に認められたことを表し、それぞれが属している組織の中での評価や報酬をも左右する。

その年修一は、債券アナリスト部門で五位と、その前の年より一つ順位を落としてしまっていた。この時期にマーケットの先行きを左右するリポートを書くことは、ランキングの上昇にも大きな影響を与えるだろう。

リークした安西の側にも、当然ながら狙いはある。

日本の財政はすでに破綻に近い状況に陥っていて、この先も国債の発行額は雪ダルマ式に膨れ上がらざるを得ない。それを順調に消化するには、国債価格の急落は何としてでも避けたい。今回のような情報が、例えば経済紙の記者などに嗅ぎつけられ一面で大きく打たれでもすれば、まさに急落の危険性がある。

安西が意図するのは、アナリストを通じて市場の一部に先行して伝えておくことで、実際に数字が発表になった時のショックを和らげることだ。

修一は今回のような話を、当然ながら「財務省の国債課の人間がこう言った」などとは書かない。「経済環境などを独自に分析すると、税収は予想より落ち込みそうなので、国債は従来予想より増発されるのではないか」と自分が予想している形式で書く。

財務省の正式の発表ではないため、信じる人間も信じない人間もいる。しかしランキングで上位に入っているアナリストの意見表明なので、大半の顧客は何らかの根拠があってのことだと判断するだろう。このようにして情報がマイルドに市場に伝わり、実際に国債の増発が発表された時、それが織り込み済みの状態になっていれば市場の動揺は少ない。

リポートが出た段階で多少の国債価格の下げもあり得るが、それがなかった場合に起こったかもしれない暴落リスクに比べれば、はるかに軽微だということだ。

「ありがとうございました」

税収の内訳と今後の見通しについてやや細かい数字を聞き、国債課を後にした。

安西は税収の説明をするために理財局長に呼ばれているらしく、準備のためにあわただしく自分の席に戻っていった。別れ際に頭を下げると、「いや。財政は宮本さんが一番詳しいからね。わかってない奴に書かれると混乱するから」と笑った。

半分は社交辞令だが、半分は安西の本音だと思えて、嬉しかった。

他の債券アナリストの中には、市場参加者の売りと買いの動向ばかりを追いかけ、財政状況には精通していない人間も多い。安西の言う通り、財政についての知識は他のアナリストより抜きん出ているという自負はあった。若い時期に睡眠を一日四、五時間に削ってまで懸命に努力したことは、今のところしっかりと結果に結びついてくれている。

部屋の外に出ると、廊下は相変わらず光にあふれていた。十月の午後五時というのに、どうしてこれほど日差しが強いのだろう。

修一は大学卒業後に光洋銀行に就職、銀行が証券業務へ進出した際に証券子会社に移った。そこでディーラーなどを担当した後にアナリストになった。その後光洋銀行は二年前に東邦銀行など他の二行と経営統合し、東邦フィナンシャル・グループと名を変えていた。

対等の立場での統合――と記者発表で表明したが、実際は不良債権の重みに耐えかねた光洋が、東邦などに救済されたというのが実態に近い。このため統合後、光洋出身者への処遇は非常に不平等なものだった。

統合後しばらくしてわかったことは、表面上財務内容がいいように見せかけていた東邦の不良債権のほうが、実は光洋よりはるかに深刻だったということだ。しか

し光洋出身者がそれに気付いた頃には、すでに人事権は東邦に完全に制圧されていて、後の祭りとしか言いようがなかった、

統合相手の二行にも債券のアナリストがいた中で、修一はかろうじてチーフアナリストという地位を維持できている。しかしこうして光洋銀行の出身者が陽の当たる立場にいるのは非常に珍しい。合併前にすでにランキングで上位入りしていた自分を切れなかったというのが理由だろうが、逆に言えばランキングが下がろうものなら、他の二行出身のアナリストにその地位を簡単に奪われかねない。そうしたことを考え合わせても、リーク情報は非常にありがたいものだった。

国債課の前の廊下を三十メートルほど行くと一階に下りる階段がある。エレベーターホールまで歩く距離を考えると、下りであれば階段のほうが早い。自分の足で歩きたい気分でもあった。

胸の高ぶりのためか、週末は久しぶりにジムに行こうと思った。

高校時代に熱中したボクシングを今も続けていて、時間がある時は築地のジムに通っていた。年齢的にもう試合はできないが、ミットやサンドバッグ打ちのほか、たまには軽いマス・スパーリングもこなしている。筋肉質な体型を維持できている

ので、初対面の人間には三十代の半ば過ぎに見られることも多かった。

学生の頃、年を取っても腹の突き出た中年にだけはなりたくないと思っていた。あの頃に願ったことの中で、本当に実現できているのはこれくらいかもしれないと思うと、つい自嘲的な笑いが浮かぶ。


階段を上りきった場所から、一人の男がこちらに歩き出してくるのがわかった。

――まさか？

震えのようなものを感じた。

二十数年間も会っていなかった。

それなのに、即座に有賀《ありが》新太郎《しんたろう》だとわかった。

二人は財務省の廊下で、一メートルほどの距離で向かい合う形になった。有賀も修一に気付き、呆然とした様子で立ち尽くした。

長身の痩せぎすの体。何かをまぶしがっているように見える微笑み。頬に刻まれたかすかなシワを除けば、驚くほど高校時代と変わっていない。

「……久しぶりだな」

有賀のほうから声をかけてきた。少しかすれた、どちらかといえば高い声。

――有賀。

そんな音が小さく自分の口から漏れた。

そのまま、しばらく言葉を出せなかった。何の心の準備もできていなかった。

親友と恋人。その二人を同時に失ったと思い、世界の一部が損なわれてしまったように感じたのがあの年の夏だった。喪失感は今でも完全には消えず、自分の心の深いところで、ひんやりとした毒水のように静かに溜まっている。

もう、二十数年も前の話だ。

有賀と修一はともに静岡の出身で、高校ではボクシング部の同期だった。当時は二人とも、アメリカの若い黒人の天才ボクサー、シュガー・レイ・レナードに憧れていた。練習の後、疲れで体がぼろ雑巾のようになっているにもかかわらず、自転車に跨《また が》ったまま、互いの家への分かれ道である市立図書館の角で、日が暮れるまで話し続けた。クラスは一度も同じにならなかったが、かけがえのない親友だと思っていた。

しかしある事件の後、有賀は高校を辞め、街を離れた。そして東京の杉並にいる祖父母の家で暮らし始めた。それ以来、彼に会っていない。彼はその後、一年遅れたものの大検を受けて早稲田大学に入り、卒業後に大都《だい と》新聞社に入社したと噂で聞いていた。

彼の署名の入ったロンドン発の原稿を大都の国際面でよく見るようになったのは、二年ほど前のことだった。有賀が海外赴任したことを、それで知った。忘れたいと思っていた名前が、これほど長い年月の後もつい紙面で目に付いてしまう自分が嫌だった。

「……イギリスにいると思ってたよ」

やっと、それだけ言った。

「半年前に帰ってきて、今、財研の担当」

有賀は名刺を差し出した。普通なら新聞社の海外勤務は三年がローテーションだと聞いている。何かの事情で早まったのだろう。

名刺には「財政研究会キャップ」という肩書きがついていた。

財政研究会というのは、財務省の記者クラブの名前だ。ここでのキャップは、新聞各社の経済部の中でのエリート記者が配属されることが多い。

彼の高校時代を思い出した。教師からカミソリと呼ばれるほどの、優秀な頭脳を持っていた。高校を辞めざるを得なくなるという大きなトラブルすら、致命的な蹉《さ》跌《てつ》にはならなかったのだろう。

修一も名刺を渡した。

有賀がそれを見ながら、またまぶしそうに微笑んだ。

「新聞に載ってる宮本のコメント、時々読んでるよ。財研の部下の川村も、宮本さんっていうアナリストには世話になってると言ってた。お前と高校が同じだったことは、あいつには言ってないけどな」

修一のようなアナリストには、今後の金利情勢の見通しなどについてメディアから取材が入ることが多い。新聞には週に何度もコメントが掲載されることがあるし、時にはテレビ取材も受ける。

川村というのは大都新聞の財研の若い記者だ。支局から上がってきたばかりで財政にはそれほど強くなく、記事を書く上でよくアドバイスを求めてくる。

有賀は返事を期待した様子があったが、修一はそのまま黙り込んだ。

廊下に差し込む十月の日差しが、少し弱くなったように思えた。夕暮れが始まろうとしている。窓の側に立った二人の脇を、あわただしく財務省の職員が通り過ぎていった。

有賀が腕時計を見た。

「五時半に理財の審議官にアポが入ってるんで、行かなきゃいけない。じゃあ」

修一はそのまま有賀を見ていた。

二十数年前のことを、彼は今ならすべて話すだろうか。

無理に言葉を押し出した。

「今度、酒でも飲めないか？」

有賀は子供のような、驚くほど無防備な笑顔を浮かべた。

「いいなぁ。俺からメールする。名刺のアドレスでいいか？」

それだけ言い、身を翻すようにして脇をすり抜け、歩き去った。

軽く右手を上げて答えようとしたが、彼の背中はもう遠いところにあった。

高校時代、ボクシングをしていた時の俊敏なフットワークと、閃光のようだった右ストレートを思い出した。

そのまま自分の右手の拳を見つめた。中指と人差し指の付け根の骨の突き出た部分に、長い年月の間に薄くなった、小さな傷が残っている。

2

高校三年の夏休みが始まって一週間目の日曜日だった。街からフェリーで一時間半の距離にある青島《あおしま》に修一たちはいた。

「海ってさ、人が少ないと、なんか寂しいね」

海岸から二十メートルほどの波間に漂う浮き板の上で、寝そべった姿勢のまま、瀬尾《せお》純子《じゅんこ》が言った。浮き板は三メートル四方ほどの大きさで、数人が乗ることができる。海底に鎖でつながれているので、流される心配はない。

「俺たちのほか、二組しかいないもんな。ほんとこの島、人気ないよな」

そんな有賀の声が聞こえた。

「だって海の家、ちょっとしかなくて汚いし、砂、黒いんだもん。やっぱ砂浜って、白くないとやだなー」

純子の言葉に、有賀が面倒くさそうな声で答える。

「なんだよ。バーベキュー五割引きの券があるっていったら、お前らが、じゃあ、青島行こうって言ったんじゃねーかよ」

修一は仰向けに寝て目をつぶり、そうした会話を聞いている。もう午後三時なのに、閉じたまぶたの裏が、強い日差しで血の色に燃えている。

目をつぶったまま、静かな波の音を聞いた。三人は頭を中心に寄せて、三つの方向に放射状に体を伸ばしていた。

風の弱い日で、浮き板はゆっくりと気持ちよく揺れている。

繰り返す波の音が眠気を誘う。三人ともさんざん泳いだ後なので、心地よい疲れが体を重くしている。

「サチのことどう？　有賀くん」

純子の声がまた聞こえた。目をつぶったままなのに、有賀が動揺したことがわかり、可笑しくなった。

「そうだよ。ちゃんと返事してやんないと」

修一は調子に乗って言葉をかぶせる。

サチだけは、修一たち三人とは別の女子高だ。純子とは家が近所で幼馴染みだった。五月の総合体育大会で有賀の試合を見て、瞬間的に好きになったのだという。そして有賀が純子と同じ高校だと知って、純子に紹介を頼んだ。一度だけ四人で一緒に映画を見に行き、今日は二度目のダブルデートだ。

サチはどちらかといえば悪ぶっているタイプで、制服のスカートもずいぶん丈の長いものだった。口調も男子生徒のようにさばさばしているが、性格は世話焼きで、よく気の付く家庭的な女の子だった。

今日も「あたし疲れたから、先に上がるね」と一足先に戻り、砂浜でバーベキューの準備を始めてくれている。有賀に対してポイントを稼ごうという狙いがはっきり見えているのも、かえってかわいらしく感じられる。

「ねえ、どうなのよ。聞いてるの？　有賀くん」

少し間を置いて、純子が笑いを含んだ声でもう一度聞いた。修一が彼女と同じクラスになったのは高三になってからで、一学期は一緒にクラス委員をしていた。付き合い始めたのは、五月の連休が終わってからなので、まだ二カ月しかたっていない。

四月になったばかりの夕暮れだった。

卒業アルバムの制作の関係で、急にクラス委員同士の打ち合わせが必要になった。

美術部だった純子を捜して、美術室へ行った。戸を開けて見回したが人影が見えず、別の場所を捜そうとして振り向きかけた瞬間だった。

部屋の中の何かが、自分を引き止めた気がした。美術室の中にもう一度目をやった。

窓際のイーゼルに置かれていた大きな油絵。そこから、光が差しているように見えた。不思議な気分にとらわれ、その絵に近づいて見た。

深い森の中で暖かな土に寝そべって、空を見上げているような構図。黒い、しっかりした樹木の枝が四方から頭上に向かって伸びている。そして真っすぐ上だけが視界が開け、青空が覗いている。

それは息を呑むほど美しい、まばゆいような青空だった。

どんな犠牲を払ってもいいから、この青空と光の中へ飛び立っていけないだろうか——。

そんなことを思わせるほどの美しさが、その青空にはあった。

「宮本くん？」

後ろで声が聞こえた。

美術室の入り口に、純子が立っていた。手に油絵の筆を数本と、筆の洗浄用のガラス瓶を抱えている。真っ白な制服のブラウスが、夕日でほんの少し赤く見えた。

「この絵、君の？」

そう聞きながらも、不思議な確信があった。これは純子が描いたものだ。

「やだ。まだ途中なの」

純子は少し恥ずかしそうに視線を下げ、歩いてきた。そのまま自分の絵の前にきて、視線を向けた。

「おんなじ構図、何度も何度も描いてるんだけど、どうしてもうまくできないの」

ため息のように、小さな声でそう言い、修一を見た。

夕日が正面から純子の顔を照らす。長い髪を目のほんの少し上で、一直線に切りそろえている。瞳の色はかすかに緑がかっていて、深い湖を覗き込んでいるような気がした。

――俺はこの子のことを、ずっと昔、もしかすると出会う前から好きだったのではないか。

急にこみ上げてきた不思議な思いに動揺した。

「……いいよ、これ。すごくきれいな空じゃん。なんか、この中に飛んでいきたくなったよ」

気持ちを隠して冗談めかしたが、そう思ったのは本当だ。純子は微笑み、そのままキャンバスをじっと見つめた。

「有賀くん、寝ちゃったのかしらね?」

静かな波に揺れる浮き板の上で、純子が歌うように小さな声で言った。有賀は仰向けになったまま、目をつぶっていた。引き締まった胸の筋肉がゆっくりとわずかに息づいている。

有賀は身長百七十七センチ、五十八キロで、階級はライトだ。スピードとフットワークを生かしたきれいなアウトボクシングをした。

顔がすっきりと小さくて首も細く、決して打たれ強くはない。しかし明らかに相手の実力が上で、ぼろ雑巾のように顔を腫れ上がらせて負けた試合でさえ、彼の表情に諦めや恐怖の色が浮かぶのを見たことがなかった。最後に倒れる瞬間まで、パンチを打ち続け、足を使い続ける。ボクシング部の担当教師はそれを、「有賀は絶対に心が折れない」と表現し、彼を主将に選んだ。

修一たちの高校では受験に専念させるため、三年生の五月にすべての生徒を部活動から引退させる。サチが見て感動したという五月の総体は、修一たちの高校最後の試合だった。

有賀の相手は前年の全国大会で五位に入賞した選手だった。有賀は第一ラウンドで目の上を切ったが、最終ラウンドで出血のためにドクターストップを食らうまで、一度も倒れなかった。

サチはたまたま同級生を応援しにその大会を見にきていて、「心が揺さぶられた」のだという。百七十三センチ、五十六キロの修一はその二試合後、有賀より一つ下の階級のフェザーで出場し、二ラウンドKO勝ちをしている。しかしその試合については「なんか全然覚えてない」と言われて情けなかった。

確かにその試合での有賀の戦いぶりは、いつにも増して凄まじかった。修一と付き合い始めたばかりの純子でさえ、「あの時の有賀くん、ギリシア神話の闘う神様みたいだった。——そう、闘うアポロンっていうイメージ」と上気した顔で言い、修一は少し動揺した。

波の音が静かに響く。

ふと顔を純子に向けた。彼女はいつの間にかうつぶせになり、ひじをついて上半身を起こした姿勢で、遠い沖合いの海を見ていた。長い髪の毛もいつの間にか乾き、さらさらと肩を撫でている。

もう一度有賀に視線を向けた。規則正しく胸が上下していて、完全に眠っているようだった。砂浜に目をやると、さっきまで波打ち際にいた女子高生らしい二人連れは、いつの間にか姿を消していた。サチの姿も見えず、多分、バーベキューの下準備で海の家の調理場にでもいるのだろうと思われた。

体をゆっくりと回転させ、うつぶせになってからひじをついて体を起こした。焼きすぎた背中が、太陽に照らされてひりひりと痛い。

純子の黒いワンピースの水着から、意外に深い胸の谷間が覗いた。見ないようにしたつもりだったが、視線に気付いた純子は恥ずかしそうに両腕で胸を隠そうとした。そのせいでよけいに谷間が際立つ。

少し動揺したまま、純子の頭に軽く手を触れて引き寄せ、キスをしようとした。静かな波に揺らぐ浮き板の上で、付き合い始めて十四回目のキスになるはずだった。

しかし純子は顔を伏せるようにして拒んだ。どうして？　と目で聞くと、純子は少し困った顔で視線を有賀に向けてみせた。もし不意に有賀が目を覚ましたら——そんなことを心配しているように見えた。

その時、突然強い風が吹き、浮き板がぐらぐら揺れた。

上空は完全な青空なのに、西の空、地平線のほうに真っ黒な雲が見えた。

「何だか嫌な色の雲だね。雨がこないといいんだけど」

少し気まずくなった雰囲気をとりなすように、純子が明るい声で言った。

「七時半のフェリーなんてやだよ。このまま泊まっていきたいよねー」

サチはそう言いながら、かいがいしくイカを焼く。さっきから、重点的に有賀の皿によそっている気がするが、それは仕方がないと修一は諦めた。四人ともすでに水着を着替え、ショートパンツにTシャツという格好になっている。

近くの海の家から有線の音楽が流れている。曲はサザンオールスターズの「いとしのエリー」から、ローリング・ストーンズの「タイム・イズ・オン・マイ・サイド」に変わった。あまり脈絡のない選曲だと思う。しかしミック・ジャガーのだみ声と、どこか投げ出すような歌い方は、波の音と意外に相性がいい。

砂浜に設置されたガスライトの炎がぼうぼうと燃えていた。暗くなればいい雰囲気なのだろうが、時間はまだ午後五時半だ。七月なので、この時間はまだ日の光が十分に残っていて、今ひとつムードが出ない。それに自分たちは間もなく最終のフェリーで、街に戻らなければならないのだった。

「ごめんねー、うちの親、うるさいから」

純子が焼肉を頬ばりながら、すまなそうな顔をした。サチがまた、「そうだよ。いまどき高三なら、一泊ぐらい普通だよ」と笑いながら声を出し、そのまま有賀に「ね？」と視線を向けた。

有賀は何も言わず、黙って微笑んでみせる。こうした大人びた態度と、少年の名残りを感じさせる笑顔が、多くの女子生徒の気持ちを惹きつけている。有賀は数カ月前まで、地元の国立大学に通う学生と付き合っていた。修一も一度だけ引き会わされたことがあるが、髪の長いきれいで知的な女性だった。しかし今は別れてしまい、まったくのフリーだ。

「そうだ、今度はサ、有賀くんちで、みんなで受験勉強の合宿しようよ。あたしも勉強するからさ」

サチはそう言いながら、今度はカルビを素早く有賀の皿に移す。修一はその肉が焼き上がるのを待っていたのだったが、目の前でさらわれる格好になった。

「いいぜ。親父の酒、いっぱいあるし」

有賀はうなずいて缶ビールを飲み干した。有賀も修一も、ボクシング部を引退し減量の必要がなくなってからは、たまにこうしてビールを飲む。お互いアルコールに強い体質なのか、まったく赤くならない。

有賀の父親は地場の大手のオートバイメーカーの社員で、一年半前からドイツのデュッセルドルフに赴任し、母親と妹も一緒についていった。大学受験を控えた有賀だけが残り、家で一人暮らしをしている。

「ほんと？」とサチがはしゃぐ。

「でも有賀くん、あさってからドイツのご家族のところへ三週間くらい行っちゃうんでしょぉ？　帰ってからになっちゃうね」

「しかし受験を控えた夏休みにデュッセルドルフってのは余裕だよな」

一応からかうが、有賀は模試などでは第一志望の早稲田の政経学部の合格圏に完全に入っていて、実際に余裕がある。

しょうがないんだ、という様子で有賀は笑った。

「おふくろが、家族なんだから夏休みくらい一緒にいなさい、って物凄く頑固でサ。かと言ってむこうの三人が帰ってくると金がかかるんで、俺が行くしかないって感じ。でも向こうで外国人のボクシングが見られるから、研究してみるか、と思ってたな」

急速に、あたりが暗くなった気がした。日が沈み始めたのと同時に、空にいつの間にか濃い雲が垂れ込めている。

「あ、そうだ」

純子が突然大きな声を出した。

少し離れたデッキチェアの上から自分の白いビニールバッグを持ってきたかと思うと、白い封筒を二つ取り出した。そして「写真できたよ」と言った。

封筒を開けると、上半身裸でファイティングポーズをとった修一と有賀が並んで写っている。高校総体の時に、純子が撮ってくれた写真だ。修一は試合直後だったのでそのままポーズを付けたが、少し前に試合を済ませてすでに着替えていた有賀は、わざわざもう一度Tシャツを脱がされてぶうぶう言っていた。

修一はオーソドックスに両方の拳を顔の前にあげている。有賀はクロンク・スタイルといって左拳を腰の前に落とした独特なポーズだ。デトロイトのクロンク・ジムというところのコーチが生み出した攻撃的な構えで、ジャブが普通とは違う軌道で出てくるので相手はよけづらい。トーマス・ハーンズというボクサーがよくこのスタイルで闘ったことで有名だ。有賀は相手の防御が優れているとわかると、ときおりこのクロンク・スタイルに切り替えて相手を幻惑することがあった。

写す直前に、純子がカメラのファインダーを覗いたまま何かにけつまずいて転びそうになった。そのせいか、修一も有賀もポーズをつけたまま大きく笑っている。良く晴れた日で、二人の笑顔は光に包まれている。

「きゃー、有賀くんのブロマイド!!!」

サチが写真を覗き込んで、大声で叫んだ。

「悪いな、俺まで写ってて」

修一が憮然として言うと、サチは、「ほんとだー。宮本くんも写ってる——」としみじみした声を出した。今まで、見えていなかったのだろうか。

「純子、あたしのは？」

「え、だって二人の写真だから、修一くんと有賀くんの分しか……」

「やだー。純子、気が利かない」

「わかったわよ。今度、焼き増ししとく」

「ほんとだよ。早くお願いね」

あまりの正直さに、三人はちょっと気押された感じでサチを見ている。でもサチはまったく気にならないようで、「ねえねえ、有賀くんさぁ、大学に入ってもボクシングやるの？」とにこにこしながら話しかけた。

有賀は真面目な顔でこんなことを言った。

「プロ資格を取った後、体重を五キロ増やしてレナードと同じウェルターにして、大学四年の時に世界タイトルマッチをする。十五ラウンドフルに戦って判定勝ちするんだけど、そこで無茶苦茶惜しまれながら引退して、新聞記者になる。そのうちにアメリカに赴任して、大統領の犯罪を暴いてピュリッツァー賞を取る。俺の人生、そんな感じ」

「カッコイイー」

サチがうっとりした目で有賀を見ている。

「まともに受けとんなよ」

修一が笑ったが、サチは「有賀くんなら、絶対大丈夫だよ。絶対かなうよー」と、励ますようにぶんぶんと首を縦に振った。

かなうか、そんなもん。修一が噴き出しながら、「有賀がレナードに勝つのかよ?」と言うと、サチが「えっと、レナードって誰だっけ?」と聞き返したので全員が爆笑した。

シュガー・レイ・レナードは七六年のモントリオール・オリンピックでライトウエルターの金メダルを獲得した黒人ボクサーだ。甘いハンサムな顔立ちが〝シュガー〟という愛称によく似合っていた。

デュッセルドルフにいる有賀の父親もボクシング好きで、テレビ中継されたレナードの試合をビデオに撮り、送ってきてくれていた。有賀の家にあったビデオデッキでそれを見て、修一は心の底から興奮した。天才だと思った。

パンチの速さや強さはもちろんだが、戦うこと自体についての卓越したセンスが感じられた。ラウンドの状況次第で、ストレート主体の攻撃から一転して近距離でフック、アッパー主体の攻撃に切り替えたり、かと思えばひらひらと身を翻して相手の攻撃を翻弄し続ける。自由自在に試合をコントロールし、ひとたびチャンスになると光の雨のような凄まじい攻撃を相手に集中させる。

「すごくきれい。このボクサー」

有賀の家で三人で一緒にビデオを見ていた純子は、レナードの闘いぶりをそう表現した。

——きれいか、きれいではないか。

純子はいつもそれを口にした。透明で薄いクリスタルのような研ぎ澄まされた純粋さが、彼女にはあった。

純子の絵を見た四月の美術室。

修一はそこで自分が純子を好きなことに気付いた後も、一カ月ほど、打ち明けられないままだった。

彼女のどこかしらとてつもなく繊細な部分。気持ちを伝えるという行為がそこに触れてしまったら、もう友人ですらいられなくなるような気がして怖かったからだ。

交際を申し入れてきたのは純子だった。

彼女がどうして自分を好きになってくれたのか。

そう一度だけ聞いてみたことがある。付き合い始めて三週間ほどたった、五月の夕暮れだった。

部活を引退したのは純子も同じで、イーゼルや絵の具の運搬役を頼まれ、修一は純子と一緒に再び美術室にいた。

「自分でわからない？　修一くんって、結構きれいよ」

純子はそう言い、唇を近づけた。

美術室には二人しかいなかった。

油絵の具とシンナー溶液の匂いがかすかに漂う美術室で、その時初めてのキスをした。夕暮れの弱くて赤みがかった光が窓から差し込み、二人を照らしていた。自分の胸に純子の胸がかすかに触れるのを感じ、体が熱くなった。

唇を離してから、「きれいって、何がだよ」と聞いた。

「世界や、自分のこれからの生き方なんかについて、どう思ってるかっていうこと」

純子は少し笑いを含んだ目で、まっすぐに修一を見ていた。

そう言われても、自分が、世界や、自分のこれからの生き方などに関してどう思っているかなど、よくわからない。

そのまま、もう一度キスしようとしたが、純子は修一の胸を押しとどめ、「修一くんや有賀くんはいいな――」と言った。

「いいなって、何が」

「修一くん、将来は経済の研究をして、人の幸せにダイレクトに結びつくための成長のメカニズムを見つけるって言ってたじゃない？　ちゃんと道が見えていて、しかも、それがきれい。有賀くんだってそう」

「……俺、君にそんなこと言ったたか？」

少し動揺しながら聞いた。京都の大学に行き、将来は何らかの形で経済の研究をしたいということは、確かに純子にも話している。しかし、幸せとダイレクトに結びつく成長のメカニズム、などという気恥ずかしいことを、口に出した記憶はなかった。

「覚えてないの？　春の学年合同のクラス委員会で、打ち上げでみんなでビール飲んだ時、修一くん、そう宣言してたわよ。結構、酔ってたけど」

「……ほんとか？」

純子は両腕を後ろに回して胸を張り、朗々と語り始めた。その時の修一の真似らしい。

――俺、思うんだけどさ、経済成長の目的ってさ、競争でみんなが疲弊するためのものじゃないはずだよ。日本人みたいに働いても働いても小さくて都心から遠い家しか持てなくて、単身赴任とか長時間の残業とかで家庭や自分の時間まで会社に捧げてる。なんかおかしいじゃん。経済の成長ってサ、そこに働いてる人の豊かさや幸せに結びつくもんなんじゃないかなぁ。

「わかった。ごめん。ストップ」

顔を伏せ、手だけを突き出して止めた。

「こういうこと、修一くん、三組の委員長相手に力説してた」

照れくさすぎて消えてしまいたい気分だった。確かに何人かで飲み、ひどく酔ったことはあった。しかし、みんなの前でそんな恥ずかしい発言をしていたとは思わなかった。しかもその内容は、尊敬していた母方の叔父から、以前に聞いたことの受け売りだった。

その叔父は医師で、三十代の半ばから不意に思い立ったように一人で途上国の医療活動にのめり込み、「結婚もしないでいつまでもふらふらしている」と親戚中から顰蹙《ひんしゅく》を買っていた。

彼は修一を可愛がってくれ、帰国するたびにアフリカや中東の珍しい人形などを土産に買ってきた。どちらかと言えば気味の悪いものばかりで、もらって嬉しかったものは何一つなかったのだが、聞かせてくれる話はいつも面白かった。

ある夜、叔父は中学三年生だった修一を自宅に呼び寄せると、屋根の上に誘い出した。小雨の降っている夜だったので、戸惑いながら梯子《はしご》を登った。

屋根の一番高い部分に、並んで腰を下ろす。叔父の家は高台にあり、街の灯りがきれいに見渡せた。ただ空は真っ暗で、小雨で体がじわじわと濡れていくのが気持ちが悪い。

叔父はぶらさげていたウイスキーをビンから直接飲みながら話した。

「あのな、俺みたいに発展途上国ばっかり行ってるとつくづく感じるんだが、貧しさってのは、人間から精神的な豊かさや尊厳を奪い取るんだ。インドじゃあ、子供に物乞いをさせやすくするために親が子供の手足をちょん切ったり、持参金をちょっとしか持ってこなかった幼いお嫁さんを、親戚中で焼き殺してしまったりする。日本では最近、経済的には豊かになったが精神的には貧しくなったなんて嘆いてる奴がいるが、この国もつい何十年か前まで、食べ物がなくて自分の子供を殺さざるを得なかった親がたくさんいたってことをまるっきり忘れてる。やっぱり、最低限の経済的な豊かさってのは、人間の幸せの十分条件ではないけど、必要条件ではあるんだよ」

修一は話の内容に驚いていた。一部の発展途上国で、多くの人々が食糧難などで苦しんでいるのは知っていたが、親が子供の手足を切り落とすなどという出来事は想像もできなかった。

叔父は話を中断し、ウイスキーをまた口に入れた。

「これはなぁ、ラガヴーリンっていうアイレイモルトで、日本のウイスキーとは比べものにならないくらいうまい。……ちょっと、飲んでみるか」

少し口をつけてみた。辛い、というか、クレゾールのような味がした。顔をしかめた修一を見て、叔父は声を出して笑った。それから、「そうだよなぁ。中学三年じゃあ、さすがにラガヴーリンは無理か」と言った。

降っているかどうかわからないくらいの小雨が続いている。下着まで濡れ始めていた。叔父は雨などまったく気にならない様子で話を続けた。

「……そしてここからが難しい。確かに最低限の経済の豊かさってのは必要なんだが、貧しい国を無理やり成長させればいいっていう話じゃないんだなぁ。むしろ逆で、そんなやみくもな成長の競争じゃぁ、問題はさらに悪化する。産業革命時代のイギリスや明治の頃の日本みたいに、労働者が朝から晩までこき使われて工場の中でたくさん死んでいったり、水俣病やイタイイタイ病みたいに、企業が環境を壊してしまってそこでまた人が苦しんだりする。大事なのは、そこに属している人が本当に豊かになる成長のあり方、人が経済の犠牲にならず、環境も壊さない成長のあり方なんだ。そういうまるきり新しい枠組み、メカニズムを、誰かが見つけないと駄目なんじゃないかなぁ」

「なんか、難しそうですね」

そろそろ屋根から降ろしてほしいと思い始めながらも、仕方なく聞き返した。叔父は修一の目を覗き込んで、「そうかなぁ。でもちょっと考えてみろよ」と言った。

「例えばある会社が、環境に優しい製品を作ろうと本当に一生懸命考えてるうちに、要するにいらないものを徹底的に省けば、ゴミを出さないですむんだと考えたとしてみな。そして製品の設計そのものを見直して、部品の数なんかも減らしたとする。

そうしたら、結果的にほかの会社の製品より材料費が安いものになるから、利益が出て会社は成長できる。部品が少なくなって手間もかからないから、その会社に勤める人は今までほど長い残業をしなくてすむようになるかもしれない。結果的に、環境や人の幸せと成長が、この場合は両立できるっていうか、むしろ相乗効果を発揮できるだろう。……こういうメカニズムが自然にいろんな会社で働くような経済社会を作れないかってことなんだ」

「どうしたら、作れるんですか」

叔父は髭だらけの顔に笑みを浮かべて「わかんないんだよ、それが」と言った後、修一の頭に手をどん、と置いた。顔が赤く、すでに相当酔いが回っている。

「さっき言ったような、みんなが幸せになるような経済のあり方、修一が、エコノミストにでもなって考えてくれよ。叔父さんもな、結構考えたんだが、よくわからない。ただの医者だからな」

「エコノミストって何？」

「大学の経済学者だったり、民間企業での経済の研究者だったりいろいろなんだが、まぁ、経済のあり方を研究することで、社会全体をよくするように考える人のことだよ」

後になって有賀に話した時、「あまりに単純だな」と笑われたのだが、その夜から修一は漠然と、将来の姿としてエコノミストを考え始めた。大学も、経済の研究者が数多く出ている京大の経済学部を受けるつもりでいる。

美術室の夕暮れの光に照らされながら、修一は気恥ずかしさから冗談めかして打ち明けた。

「……さっきのさぁ、実は俺の叔父の受け売りなんだよ。しかし、酔って話してたとは思わなかった」

純子は笑いを含んだ目線で、修一を見上げた。小さな顔の左半分が、夕日を受けて明るく輝いている。

「いいじゃない。その時にわたし、ちょっと修一くんに注目したんだよ。この子、結構、ミドコロあるって。ライバル多そうだからしばらく様子見てたけど」

「ライバル？」

「だって修一くん、結構女の子に人気あるよ。ボクシングだって強いし、顔もそこそこだし。ファンは有賀くん派に比べると少ないけどね」

「どうせ〝カミソリ有賀〟と俺は違うよ。ところで有賀と俺と人気の比率ってどれくらい？」

「九・八対〇・二くらいの比率かな。有賀くんってルックスもいいし、なんかこう天才肌だしね」

あまりの落差だが、まぁそんなものかと思う。

「冗談。ホントは八対二くらいかな」

「え、ほんと？　俺、二割も取れてんのか？」

純子が笑った。

「何で喜んでんの？　これだって結構、大差は大差じゃない」

「まぁ、そうだけど、相手が有賀じゃ、上出来だと思う」

「なんか、自分の彼氏としては、ふがいないなー。でも、有賀くんの弱点って、絵や字がうまくないことぐらいだよね」

さすがにすべての分野で秀でるのは難しいのか、有賀は絵や字が驚くほど下手だった。特にその字はまるで左手で書いたように不思議に折れ曲がっていて、判読に苦労することも多かった。

「でも、私は修一くんのほうがいいの。普通、高校生の男の子って、勉強だってスポーツだって、自分が一生懸命に努力していること、隠すよね。でも修一くん、他のヒトみたいに〝俺、全然勉強してないんだ〟なんて照れ隠しのこと言わないじゃない？　むしろ、〝朝まで六時間も勉強して疲れちゃったよ〟とか平気で言うでしょ。さっきの経済の話だって、お酒に酔ったって、普通の男の子なら恥ずかしくて言わないと思うし、そもそもそんなこと、考えてさえいないと思う。結構、そういうのって見てて気持ちいい」

複雑な気持ちではあった。高校生の普通の男子が持っている照れや気恥ずかしさを持ち合わせていない鈍感な人間と言われているともとれる。

それでも純子の言葉は、修一の心を幸福感で満たした。彼女がそう言ってくれるのなら別に鈍い人間でも構わない、と思うことにした。あの時、小雨の中を叔父に付き合ってよかったと、初めて叔父に感謝した。

「ねぇ、なんだか暗くなってきたね」

サチが、不安そうに空を見上げた。ビーチパラソルの上に覗く空には、確かにいつの間にか黒い雲が広がり始めている。

「でも、もうちょっとしたら、どっちみち帰らないと」純子がそう答えた。時間は六時を少し回っていて、フェリーの時刻を考えると、確かにあと三十分ほどしかいられない。

「まだ肉もビールも、いっぱい残ってるぜ」

有賀が、天気などどうでもいい、という口調で言い、また缶ビールに口をつけた。

「そうよね。いっぱい食べましょ」

サチが有賀に寄り添うようにして、自分も缶ビールを飲んだ。サチはとりわけ胸が大きく、白いTシャツがロケットのように盛り上がっている。瞬間、修一の右のわき腹にひどい衝撃と痛みが走った。

純子が左のひじを思い切りぶつけたのだった。サチの胸に一瞬目を奪われたのを、気付かれたらしかった。純子は怒ったような顔で、そのまま自分の皿に肉を取り続けている。有賀が修一たちの様子に気付き、笑っていた。

その時、遠くで雷鳴が響いた。

「やだ、カミナリ」サチが不安そうに沖合いに目をやった。風も強さを増していた。

「もう帰ったほうがよくない？」純子が修一に聞いた。

「天気予報だと、雨は明日からだって言ってたけどな」

有賀は相変わらず、肉を食べ続けている。修一も四人でいる時間が楽しく、もっとここにいたいと思った。ビールの酔いが少し回っている。

「あ、フェリー！」

サチが沖合いを指差した。海上は少し暗くなっていて見づらいが、フェリーがすでに、意外な大きさで見えるほど島に近づいていた。

「片付けて、金払わないと」

修一がそう言い、四人は自分の皿に載っていた分だけを急いで食べると、食器と残飯をそれぞれ別のビニール袋にぶち込んだ。

荷物を置いてあった海の家に向かって走り出した瞬間、凄まじい雷鳴と同時に大粒の雨が落ち始めた。わずか五十メートルほどの距離の海の家に着くまでの間に、四人の服はずぶ濡れになった。


雨は非常な烈しさで降り注いでいた。

無数の細い矢が海面に突き刺さるように、雨粒の一つ一つに水しぶきが高く上がる。遠く街の方向で、暗くなった空にフラッシュを焚くように雷が光り、しばらくして破裂音のような雷鳴が聞こえてくる。

フェリーのデッキの手すりにもたれたまま、修一と有賀は余った缶ビールを飲み続けていた。強い風に飛ばされ、大粒の雨が絶え間なく吹き付けてくる。

しかし体はほぼ完全に濡れてしまっているので、どうでもいいばかりか、風に吹かれ、雨に打たれながらデッキでビールをあおることがむしろ気持ちよかった。純子とサチは疲れたのか、客室のソファで体を支え合うようにして眠り込んでいる。

「お前、結局、京大にすんのか」

有賀が聞いた。

模試の成績を見ている進路担当の教師からは、何度も「もったいないから東京大学に挑戦してみろ」と勧められたが、そのまま聞き流している。

修一は顔を上げて缶ビールの残りを一挙に流し込み、それからうなずいた。

「京都の街の雰囲気、好きなんだよ。それに、学生の間じゅう、どこの大学？　って聞かれて、東大です、って答え続けるの、気持ち悪くないか」

有賀は「なんかわかるような気はするけどな」と笑った。

もちろん、理由はそれだけではない。京都大学は数多くの有名な経済学者を輩出しているので、そこで学びたいと思っている。京大はマルクス主義経済学が主流で現実の解決には役立たないという教師もいたが、あの大学の取柄は授業の中身ではなく独立した自由な精神のあり方だと思うので、別に気にはならない。そしてさらに大きな理由は、純子が京都の同志社大学を目指しているので、同じ京都で暮らしたいということだった。

その時、不意にフェリーが大きな霧笛を鳴らした。

見ると前方の暗闇に、進路を横切ろうとする客船が見える。五百メートルほど離れているが、安全確認のための霧笛と思えた。

前方の客船は、強い雨が叩きつける暗い海の上で、きらきらと美しく光っている。それはまるで小さな命の光のようにも見える。

相手もまるで挨拶するように霧笛を鳴らした。見ているうちに、光はみるみる小さくなり、暗い海に消えていった。

人と人もこんなふうに一瞬だけ出会って、通り過ぎていくのかもしれないと、酔いの回った頭でぼんやりと考えた。純子や有賀やサチ。彼らともやがて離れる時がくるのかもしれないと思うと、せつなさが心をかすめる。

「なぁ、純子の第一志望は同志社だよな」

雨に打たれながら、有賀が不意にそう聞いてきた。

純子は両親共に中学教師で、家がひどく厳しい。今は修一と交際していること自体、必死で隠している。二人で京都で暮らし始めることができれば、どんなに楽しいだろう。考えるとそれだけで心が浮き立つし、受験勉強のしがいもある。

「お前は、早稲田で確定だろ?」

そう聞き返すと、有賀はなぜか答えずに、夜の海に顔を向けた。また街の方向で雷が光った。有賀の整った小さな横顔を光が照らす。雨はやや勢いを弱めた気がした。

有賀も偏差値で見れば修一とほぼ同じ水準で、模試では少しの差で勝ったり負けたりを繰り返している。ただ限界まで睡眠を削って勉強を続けている修一と違って、有賀は一日数時間勉強する程度のペースで流しながらの好成績だ。もともとの頭のつくりが違うのだろうと、最近では諦めている。

進路担当の教師は有賀にも東大受験を勧めていたが、有賀は「早稲田に行きます」と随分前から宣言していた。有賀の頭には、レナードに勝つことやピュリッツァー賞は別として、「高田馬場のボクシングジムでプロ資格を取り、早稲田の学生ボクサーとして新人王を獲得する。その後新聞記者になって海外で活躍する」というシナリオが実際にできていて、彼はそれを自分で〝有賀流 人生のチャンピオンロード〟と勝手に名づけていた。

東大の進学実績を高めたい進路担当の教師は「ボクシング部のあの二人、なんとかならんのか」とそれぞれの担任にさんざんこぼしていたが、最近になってようやく何も言わなくなった。修一は、自分と有賀は、ある部分ではやはり似ているのだと思っている。

雨脚が弱まった代わりに風が強くなり、波のしぶきが顔に降りかかる。

「京都も……いいかもな」

有賀がポツンとそう言ったので驚いた。

「なんだよ、急に」

有賀は、少し恥ずかしそうな微笑みを浮かべた。

「……いや、お前らと一緒に、また大学で遊ぶのもいいかもしれないと思ってな」

聞いた途端、心がざわめいた。

ここ数カ月、心の底で渦巻いていた疑問を、思い切ってぶつけた。

「……有賀、お前、純子のこと、好きなんじゃないか」

有賀が振り向いた。その表情を見て、瞬間、自分の言葉が正しかったことを知った。心の半分が重く固まった。

有賀は何も答えずに、夜の海に視線を戻した。周囲はもう真っ暗で、フェリーの光が届く範囲だけがぼんやりと浮き上がっている。ふと、さきほどすれ違った客船のことを思い出す。

この暗い海の中で、波に叩かれながら生きている無数の生き物。彼らにはこのフェリーも、闇の中でまばゆく光る宝石のように美しく見えているのだろうか。

「……見てて、わかるのか」

有賀は手すりを握った自分の両腕の間に顔を埋めるようにしていた。

「わかったのは最近なんだ。ふと気付いた時、お前が純子を見てることが何度もあった」

「そうか。自分じゃ意識してなかったんだけどな」

泣き笑いのような表情でそう答えた。横殴りの雨が、有賀の髪を顔に貼り付けて飛び去っていく。

「純子には言ったのか?」と聞くと、憤然と答えた。

「ふざけんな。言うわけないだろ」

どこかで安心した自分を、修一は少し情けなく感じた。有賀がもし本気で純子にアプローチした時に、純子が自分を選び続けてくれるのか、自信がない。

しかし、と気になった。

今日の昼間、痛いような太陽の光が降り注いでいた浮き板の上。

純子は有賀のことを気にするようにして、キスを拒んだ。もしかして純子自身も、有賀の気持ちに気付いているのではないか。それだけではなくて、心が有賀に傾きかけていたりはしないのだろうか。

——あの時の有賀くん、ギリシア神話の戦う神様みたいだった。

そう話す純子の笑顔が目に浮かんだ。

「気をつける。絶対に純子には知られないようにするから、安心してろ」

有賀は笑顔をつくり、そう言った。

フェリーの行く手が、白くぼんやりと明るく見える。街が、少しずつ近づいてきている。

「あれー、二人とも何してるのよ。ずぶ濡れじゃない」

後ろで客室とデッキをつなぐドアが開いたかと思うと、サチが驚いたような表情で立っていた。目を覚ましたらしい。

かすかな違和感を感じ取ったのか、サチは一瞬、修一と有賀に視線を行き来させたが、すぐにいつもの屈託のない笑顔に戻り、「もうすぐ着く時間だよ」と言った。サチの後ろのほうから、四人分の荷物を抱えた純子が歩いてくるのがドアのガラス越しに見えた。

デッキのドアまできて、純子が頬を膨らませて見せた。

「みんな何よ。荷物ちゃんと自分で持ちなさいよ」

有賀は今までと何も変わらない態度で「悪い。今、取りに行こうと思ってたんだ」と自分の荷物を受け取った。

純子はそこで初めて二人がずぶ濡れであることに気付いたようで、「ずっと外にいたの？　どーして？」と言いながらハンカチを取り出した。そして修一と純子の中間の位置に立っていた有賀の髪を、何気ない様子で拭いた。

修一はその時、自分より先に純子が有賀の髪を拭いたことに動揺した。単に有賀がそこに立っていたからだとわかっているのに、それでも気持ちが揺れる。

「何するのよー。有賀くんは、私が拭く！」

サチがわざと大げさに声を出しながら割って入り、背伸びするようにして有賀の髪をごしごし拭き始めた。有賀はその間、表情を変えずに神妙にしている。

（サチって、しょうがないね）

そんなことを言いたげな表情で、純子が微笑みを投げてきた。

また雷が光って、夜の海をバックに純子の笑顔が白く美しく浮かんだ。フェリーが港に近づいたことをしめす大きな霧笛が鳴った。

それから一カ月後、夏休みの終わりに、純子は死んでしまった。ジーンズとTシャツ姿のまま、自宅の浴槽で、自分で手首を何箇所か切り、最後に首筋を深く切っていた。

――あの夏。

二十数年がたった後でも、修一はすべてを鮮明に覚えている。

長い休みの始まりに、四人で出かけた青島。

浮き板の上で仰向けに目をつぶると、烈しい日差しでまぶたの裏が赤く燃えるようだった。

有賀は目をつぶったまま静かな呼吸を続け、純子は水着姿で上半身を起こして、遠く沖合を眺めていた。

そして真っ暗な海を突き進んだ夜のフェリー。

海に降り注いでいた雨と、強い潮風。遠くで光る雷。

気持ちを押し殺すように、サチに髪の毛を拭かれていた有賀。

自分の胸に浮かんだ小さくて鋭い痛み。

純子の笑顔、純子の笑顔……。

すべてが過ぎ去り、自分は今、とても遠い場所にいる。

「宮本さん、個人投資家向けに金利と債券価格の関係を、あらためてご説明くださいませんか？　そもそも、金利が上がれば債券の価格が下がる——つまり金利と価格は逆に動くということ自体がよくわからないという投資家も多いですから」

衛星放送の女性キャスターが、整えられた笑みを修一に向けた。

芝大門の海南テレビ六階にある衛星放送向けのテレビスタジオ。強い照明があらゆる角度から降り注ぎ、正面と左右にあるモニターに修一と女性キャスターが映し出されている。

スタジオは、海南テレビの報道局の一角を、透明なガラスで仕切って作られている。広さはちょうど二十五メートルプールと同じくらいだろうか。カメラの方向を変えれば、ガラス越しに記者があわただしく動いている報道局の様子を画面で流し、臨場感を出すこともできる。

修一は毎週金曜日の昼、この番組に金利と経済動向の解説で出演している。番組は一時間だが、出演は間にはさまれる二分間のCMを含めて七分間だ。

出演しても、東邦フィナンシャル・グループの宣伝になるだけで個人にギャラが振り込まれるわけではない。それでも、自分が仕事を通じて得た知識をダイレクトに個人の視聴者に伝えられることができるこの仕事を、嫌いではない。

「そうですね、確かにそのへんはわかりづらいかもしれませんね。そもそも長期金利っていうのは、一般に期間が十年の国債の金利——正確には利回りっていいますが、これを表すということを知ってください」

スタッフが事前に用意してくれていた一枚のパネルを取り出し、胸の前で立てる。シーソーのようなイラストがあり、右側には「価格」、左側には「金利」と描かれている。

「そして世の中の金利と債券の価格は、この絵のシーソーのように、どちらかが上がれば反対側が下がります。ではどうしてそうなるんでしょうか。

まず覚えていただきたいのは、一部の特殊なものを除いて、国債に限らず、多くの債券では毎年いくら利息を払うかがあらかじめ決まっていて、それは満期まで変わらないということです。そして債券には額面というものがあって、満期が来ると必ずその額面の金額が払い戻されます。

例えば世の中の金利が二%だった時に、額面に対して毎年二%の利息を払うA債券が発行されたとします。その後、世の中の金利が三%に上昇したらどうでしょう。国債などの債券は、基本的に毎月、そのときどきの世の中の金利を反映する利息で新しいものが発行し続けられる仕組みになっています。金利が三%になった時は、額面に対して毎年三%の利息を払うB債権が新たに発行されるわけです。

その時には二%の利息がつくA債券と、三%のB債券のどちらも選べる状態になります。もしA債券とB債券の価格が同じなら、世の中の人はどっちを買うと思いますか?　当然、利息が多いB債券でしょう。つまり、A債券は人気がなくなって売られてしまい、価格が下落します。『利息は低いけれど、ここまで値段が安いなら買ってもいいや』と投資家が思う水準まで、価格の下落は続きます。満期まで持ちきれば額面を払い戻してくれるので、すごく安く買えれば売買差益が大きくなり、利息分のデメリットを補えるのです。

逆に世の中の金利が一%に下がったとしましょう。その時には、新たに額面に対して一%の利息を支払うC債券が発行されるでしょうが、そういう状況ですと、二

%分の利息がもらえるA債券のほうが得ですから、A債券を買いたいという人が多くなって価格が上がるのです。その動きはやはり、『いくら利息が高くてもこんなに価格が高いんじゃ損だな』と投資家が思うようになるまで続きます」

女性キャスターが合いの手を入れる。

「つまり、最初に発行されたA債券の価格は、その後世の中の金利が上がれば下落するし、金利が下がれば上昇するということなんですね」

「その通りです。それが、金利と債券の価格は逆に動くということの意味です。これを理解していないと、例えば国債など債券を買う場合のリスクがわからなくなってしまいます。つまり国債を買った後で金利が上昇すると、その国債の価格が下がってしまいますから、何かの理由で途中で売らなければならなくなった場合に、損をすることになりかねないのです」

〝現実に日本の多くの金融機関が、そうした大きなリスクを背負ってしまっています〟と言いたくなったが、それは金融機関の一員として口に出しづらい。

「なるほど。金利の上昇局面での債券の購入にはリスクがあるわけですね。では本題の、その金利の動向ですが、今後はどうお考えですか？」

女性キャスターが、微笑みながら小首をかしげてみせた。

名前は柏木《かしわぎ》久美《くみ》という。彼女はもう少し若い頃、民放の地上波でフリーのレポーターをしていた。しかし三十歳をいくつか越えた今では、仕事は衛星放送だけになっている。笑顔で小首をかしげるしぐさが、今の年齢では時おり不似合いに見えることに、彼女はまだ気が付いていない。最近の修一は、人間が歳を重ねることのこうした残酷な側面ばかりが、どうしてだか目についてしまうようになっている。

そうは言っても、彼女がメディアで顔をさらし続けられるだけの容姿を維持しているのは確かだった。すっきりとした切れ長の目。瞳の色はかすかに緑がかっていて、深い湖を覗き込んでいるような気がする。

最初に久美の瞳を見た時、長い間忘れていた何かを目の当たりにしたような不思議な気分にとらわれた。三日ほどしてリポートを一人で書いている最中、ふと久美のことを思い出し、そうだ、あの瞳の色は純子と同じだと思い、少し動揺した。いくら時間がたっても心に棲みついて離れない、深い湖のような色。

しかし似ているのはそれだけだった。久美は全体に彫りの深い華やかな顔立ちだし、特に唇はふっくらと蠱惑《こわく》的で、顔全体の印象は純子とはまるで異なっている。

彼女とは半年ほど前、スタッフとの懇親会をきっかけに親しくなった。一、二カ月に一度くらいのペースで思いついたように酒を飲み、そのままどちらかの部屋に泊まる。しかしスタジオでは、彼女は仕事上の整えられた笑顔以外、絶対に見せることはない。

「……そうですね、金利っていうのは要するにおカネの値段ということです。ですからモノの値段と同じように、欲しい人が多くなれば金利は上がります。一九八〇年代末のバブルの前後は設備投資や財テクに使おうとして、みんながその元手となるおカネを欲しがりましたから、金利は上がり続けて八％前後にまでなっていました。バブルがはじけて景気が悪くなると、投資や財テクの需要は減ってその元手となるおカネを欲しい人も減りましたから、金利はどんどん下がっていったわけです。一九九八年以降は一％前後というとてつもない低い水準で推移していました」

太マジックで「あと一分でＣＭです」と書かれている、男性ＡＤが抱えたスケッチブックを横目で見ながら、解説を始める。

「目先から来年前半あたりまでは、長期金利は下げすぎた現状から反転して、一・〇から一・五％くらいの間で動くと考えています。しかし来年以降は、世界的な景気の底入れが始まる可能性があるので、一・五から二・〇％という、全体にさらに切りあがった水準も覚悟しておいたほうがいいと思います。

さきほど、金利というのはおカネの値段ですから、欲しい人が多ければ上がると言いました。普通に考えれば、おカネが欲しい人が増えるのは景気がよくなった時です。こういう時に金利が上がるのは当然で、いわば、いい金利上昇です。ただもう一つの要因として、どんどん国が借金をしていってだんだんみんながこれはもう返せないんじゃないかと思うようになると、金利の指標である国債はよほど高い利回りでないと誰も買ってくれなくなり、こうして金利が上がることもあります。いわば悪い金利上昇で、今の日本はこれを心配しなくてはいけない状況にきています。

国の税収が予想以上に減少していて、国債の発行額が予想を大きく上回り続ける可能性があるからです。住宅ローンなどは、変動金利のままにしておくと金利が跳ね上がっていくリスクがありますから、なるべく固定に切り替えておくべきではないでしょうか……」

あまり過激な表現にならないように気をつけながら、今後の金利動向について視聴者、特に個人投資家は警戒感を持つべきだというニュアンスを滲ませた。

「ありがとうございました。それではＣＭの後、今度は最近話題になっている外貨投資の拡大という流れについて、解説をお願いしたいと思います」

言い終えると同時に、モニター画面がＣＭに切り替わった。これから二分間はスタジオの様子は映らない。

久美はふっと息を吐き、修一に軽く会釈して見せた。

彼女とは会話もセックスも合うところがあって、何より一緒にいると楽しかった。ただ、愛しているという感覚はお互いにないと思う。

例えば二人でいる時、たまに久美にかかってくる携帯電話の様子などから、自分以外の男性の影も見える。しかしそれも別に気にはならなかった。

二人とも、時おりぽっかりと空いてしまう時間を何かでどうしても埋めなければならず、そのために相手を必要としているように思えた。


日常の中で、絶えず炙られてでもいるかのような焦燥を感じるようになったのは、数年前からだったように思う。ちょうどその頃に修一は離婚し、可愛がっていた一人息子の駿《しゅん》とも月に一度しか会えなくなっていた。

家庭を維持できなかったこととも関係はあるのだろうが、いたたまれないほどの焦燥の本質は、自分が人生の半ばを過ぎようとしていることからきていたのではないだろうか。

昔は走ってさえいればいいと思っていた。しかし少しずつ、自分が本当に正しい方向に向かっているのかと、ひどく不安になっていった。もし違った方向に走っているなら、取り返しがつかない時期に入りつつあると思ったからだ。

そもそも自分は、どこに向かって走っているのだろうか。そして、その先にたどり着く場所は本当にあるのだろうか。

ふと故郷にいる両親のことを思った。特に母親は、年に何度か孫の駿に会うことを最大の楽しみにしていたようなところがあった。それなのに離婚をしてしまったため、駿と会わせることは難しくなっている。

自分は学生時代にエコノミストを目指した。今では「人が幸福になる経済の仕組み」を自分が考え出せるなどという、青臭い想いはほぼ消えてしまっている。それでも、こうして金利を中心にさまざまな経済情報を分析し、発信する仕事ができているという意味では、かつての夢の一部はかなったのかもしれない。

しかし例えば郷里の友人たちと自分、どちらの選択肢が幸福だったのだろう。

彼らは地元にとどまり、そこで就職し、子供を育て、孫の顔を毎日両親に見せ、抱かせてやっている。収入は低くても、生活コストの安さや時間の余裕を考え合わせると、豊かさでは東京での暮らしより勝っているようにも見える。もちろん彼らには彼らなりの不安や不満があるのかもしれないが。

自分の手に入ったものと、すり抜けていったもの。それは、どちらが大きいのだろう。すべてを手に入れることが、どうしてこれほど難しいのだろうか。

離婚後一年ほどして、別れた妻の了承を取って、小学校一年だった駿を一度だけ泊りがけで実家に連れて帰ったことがある。どうしても、成長した駿の姿を両親に見せてやりたかったからだ。

実家での二日目の朝、修一は普段の疲れから午前十時を過ぎても布団の中でうとうとしていた。

「駿ちゃん、キンカン食べるかい？」

母が駿に話しかける声が、遠くで聞こえた。

うん、と元気よく答える駿の声がまた遠くで聞こえた。どうも二人とも、少し離れた廊下にいるようだ。

すでに無愛想な態度が身につきかけている息子が、年老いた母に愛想よく答えたので嬉しかった。

二人が廊下を抜け、履物をはき、中庭に出る音が聞こえた。まだ十分に眠気から覚めず、しかし二人の会話を聞いていたくて耳を傾けた。

二人が中庭を歩く気配があった。

「これがキンカンだよ」

母が駿に話しかけている。

うん、とまた元気のいい声が聞こえた。

「駿ちゃんが生まれた時にねぇ、おばあちゃんは、この木を植えたんだよ」

そんな声が聞こえた。

うん、とまた、駿が応えた。

布団から体を起こした。二人の様子を見ておきたいと思った。

のそのそと引き戸を開け、廊下の端にあるドアへ。履物が何もなかったので、一度玄関まで取りに行き、やっと中庭に出た。

庭の隅に二メートルほどのキンカンの木があった。青々とした葉をつけ、あちらこちらにオレンジ色の二、三センチほどの実がなっているのが見えた。

中庭のはずれだったせいか、こんな木が育っていることに、初めて気付いた。雨上がりで、キンカンの濡れた葉が青く美しい。

中庭に出た時、母は駿に、もいだばかりのキンカンを渡していた。

駿は少し齧り、歯形のついたそれをなんだかぼんやりと見ている。

「おいしい？」と母が言った。

「うん」と駿が応える。

「キンカンはねぇ、皮のところを食べるんだよ。実はすっぱいからねぇ」

「僕、実も食べたよ。おいしいよ」と駿が母に笑いかけた。

幼かった頃のままの、何の曇りもない笑顔だ。母は、すべてを与え尽くすかのような表情で駿を見る。年よりは若く見えると言われるのが自慢だったが、もう六十五になっていた。

「駿ちゃんが、おいしいって言ってくれて、おばあちゃん、嬉しいわぁ。駿ちゃんが生まれた時に、大きくなったら一緒に食べようと思って植えたんだけど、実がなった時、駿ちゃん、こられなかったからねぇ」

母は、次にいつ会えるかわからない駿の言葉やしぐさ、表情のすべてを、自分の胸に大切に刻み込もうとしているように思えた。彼女はどんな思いで、可愛かった盛りの数年間、孫に会えない時間を過ごしたのだろう。

今は無邪気に笑っている駿も、やがて思春期を迎える。この先、会わせてやれる機会がほとんどないとしたら、いつまで彼は自分の祖母への愛情を抱き続けてくれるだろう。母がさらに歳を取り、病床で自分の孫に会いたいと思うようになった時、その思いに十分に応えてやってくれるだろうか。

母の笑顔と、少しくたびれた腰つきを見ながら、修一は不意に、この人は、それほど遠くない時期にいなくなってしまうのだと思った。今、見えているこの光景すら、もはや現実のものではない、懐かしい記憶のようだ。

「キンカン、おばあちゃんが植えたの？」

駿が母の顔を見上げた。

「そうだよ」

「僕も、この種植えたら、キンカンがなる？」

「そうだねぇ、なるかもしれないねぇ」

母が満面の笑みで応えた。

その時、修一は黙ったままそばに置いてあったスコップで、二人の間の地面を少し掘り返し、十センチほどの窪みを作った。何かを二人のためにしてやりたくなったからだ。

「ここに入れてごらん」

窪みを指差して言うと、駿は嬉しそうに、食べ終わったキンカンの種を、ぽい、と投げ込んだ。修一はスコップで土をかぶせた。

「キンカン、大きくなるかな」

「大きくなるかもねぇ」と母が駿に言った。小さかった頃の修一自身の姿を、駿に重ね合わせているようにも見えた。

中庭を静かに風が吹き渡った。また母の姿が遠くなるように思った。

……ふと、その時に純子のことが頭に浮かんだのを覚えている。

修一は事前には何も伝えず、純子を一度だけ家に連れてきたことがあった。

玄関で母親を呼んだが答えがなかったため、そのまま彼女を家に上げて応接間に通すと、そこから見渡せる中庭で、母があじさいに水をやっていた。

「こんにちは」

純子がぺこりと頭を下げると、母は如雨露《じょうろ》を取り落としそうなほどにあわてて、エプロンで手を拭きながら「まあまあ……」と小走りで居間のほうにかけ寄ってきた。居間の高い位置から庭にいる母を見下ろす形になったからだろうか、純子はすぐに板張りの居間に正座して、もう一度「こんにちは」と頭を下げた。それから、

「修一さんと同じクラスの瀬尾です」と言い、そのままとてもきれいに笑った。

修一が一人っ子だったために娘を欲しがっていた母は、その瞬間に純子が気に入ったらしい。彼女が帰った後も「まぁ、ほんとに笑顔の素敵な子ねぇ」と自分が恋をしたかのようにため息をつき、また家に連れてくるようにと、修一に繰り返し繰

り返し言った。

修一は照れくささから、またいつか、などと先延ばしにしてしまった。そのわずか数カ月のうちに、純子が死んでしまうなど、考えることすらできなかった。

あの頃母が自慢していた漆黒の髪は、もうすっかり白く変わってしまっている。

——宮本さん？　あの……、よろしくお願いします。

久美の声で現実に引き戻された。どうかしたの？　といぶかしげな視線を向けている。

「あと十五秒！」

ＡＤがスタジオ中に響く声を出した。間もなくＣＭが終わろうとしている。

修一は今、東京のテレビスタジオの中にいた。自分がここにいることに、現実感がないように思えた。

久美にうなずいて見せ、あわてて頭を切り替えた。

五秒……、三秒……、一秒……、スタート。

テレビモニターが再びスタジオに切り替わる。

「それでは今度は、海外投資のお話ですが、宮本さんは、個人も資産の何割かは外貨建てで持っておいた方がいいというお考えなんですよね」

　久美が修一に問いかけた。

「まず言っておきたいことがあります。最近世の中で、国債や日本円の暴落がすぐにでもやってくるというような、危険を必要以上にあおるような議論が目立ちます。でもそれは少し危険だということです。日本国債の九割強は国内で買われていて、ほかに有利な運用先がないために国債にお金が流入し続けています。この状況が今すぐ変わるわけではないということです」

「ただし……」とそこで言葉を区切った。

「今後も本当の意味で経済の立て直しが進まない場合、一時的かもしれませんが、本格的な日本売りが起きる可能性も捨てきれません。特に日本人自身が日本の株や国債を売り払い、代わりにアメリカやヨーロッパなど外国の株や債券に資産を移してしまうのが資本の逃避、つまりキャピタル・フライトですね。これが起きると日本株も債券も暴落し、円は一ドル＝一五〇円から二〇〇円という、とてつもない水準にまで売られる可能性だってあるんです。大幅な円安になるわけですから、石油や食糧など輸入品の価格は暴騰し、今のようなデフレとは一変、インフレの状態になるはずです。景気回復によるものではない、いわゆる悪い物価上昇が起きるわけです」

「恐ろしい状況ですが、ここ数年、宮本さんだけでなく、エコノミストの一部がそうした懸念を表明していますね。理由は何ですか？」

「一つには財政の極度の悪化です。国と地方の借金は今や、ＧＤＰ、つまり国の経済規模の二倍近くにも達しています。この比率は実は昭和恐慌の時をすらはるかに上回っていて、ちょっと恐ろしい状況ですね。小渕内閣時代の効果のない大規模な経済対策の中で、波及効果の少なくなった土木中心型の公共工事に貴重な資金が吸い込まれた結果です。

　そもそも、今の日本の税収は毎年約四十数兆円です。これでは足りずにさらに毎年四十数兆円の借金をして九十兆円もの予算を組むわけですから、借金が膨れ上がるのは当然です。一般家庭に置き換えると、すでに一億円近い膨大な借金を抱えた年収四百万円強の人が、さらに毎年四百万円前後の借り入れをして毎年九百万円近くも使い続けているわけです。考えてみてください。周りにこういう人がいた時、だんだん、誰もお金を貸さなくなっていくのは当然ですよね。そんな人は、いずれ家計が破綻してお金を返してくれなくなるだろうと心配になってくるからです」

「つまり、そのうち誰も日本という国の借金である国債を買ってくれなくなるかもしれない、ということですね？」

久美の相槌に「あくまでも可能性ですが」と答えた。

「今は日本は経常黒字でしかも世界最大の債権国です。つまり借金があっても、返済するお金のあては、いろいろあるということを意味します。こういう基本的な構造が維持できている間は、単に負債が大きいというだけではなかなか国債の暴落や極端な円安は起こりづらいのが現実です。しかし今後、経常収支の悪化や国債残高の上昇が続いていった場合、心配だから今のうちに日本の国債は売っておこうということになりかねません」

「そういうことを心配する人が増えていって臨界点を超えれば、ある時一斉に国債は売られて、価格が暴落するかも、ということですね？」

「ここでさっきの説明を思い出してください。債券の価格と金利は逆に動く――つまり価格が下がるということは、金利が上昇するということでしたね？　金利の急上昇は日本経済に対する不安を高めますから、日本株の売却にも波及していきます。もしそんなことが起きれば、あらゆる円ベースの資産が売られ、結局は極端な円安になることもあり得ます。結論として言えば、資産のほとんどを円で持ち続けることにはリスクがあります。資産の三分の一程度は、ドルかユーロに替えておいたほうが安全だと思いますね」

衛星放送は視聴者の規模が民放の地上波の数千分の一しかなく、それだけに番組の構成も自由が利く。地上波では言えないような生々しい話をしても、よほどのことがない限り問題にはならない。

それでも、あたりさわりのないコメントが多い銀行系エコノミストの一人としては、やや踏み込んで発言しすぎた気もした。

実際にこうしたキャピタル・フライトが必ず起きるとまでは思っていない。だから〝日本破綻論者〟が言うような、資産の全額を外貨建て資産や金に替えろとでもいうような極端な話をするつもりもない。

大事なのは、「将来どうなるか」を一方的に決めつけないことだと思っている。必ず日本が破綻するとでもいうような議論が危険である一方、円安や国債急落のリスクも捨てきれない以上、資産の一部ではそれに備えておくということも大切だ。それを視聴者に伝えたかった。

二十代に見える男性ADが、胸元に掲げているスケッチブックをめくるのが見えた。黒いマジックで「残り百八十秒です」と書かれていた紙がめくられ、「残り百二十秒です」に変わった。久美が自然な視線の動きでそれを確認する。

「しかし一方で、日本企業や日本経済の底力を信じようという声もありますね？」

 やや悲観的に流れた議論を、久美は無難に落ち着かせようとしているのかもしれないと思った。一瞬、それに合わせ、〝そうですね、日本の底力に期待したいですね〟などとまとめることも考えたが、やはり今回はリスクに重点を置くことにした。

「……確かにそうした指摘も一部正しいと思いますし、今後も循環的な景気回復や、中国やインドの経済成長の恩恵で、日本経済の楽観論が語られる時期もくると思います。そうした時期には一時的な税収増もあるでしょうから、財政への危機感も薄れるかもしれません。ただ、今後日本の経済力が弱まり、それにつれて現在の日本国債の安心感を支えている経常収支が悪化していく可能性も忘れてはいけないと思います。大きな理由は人口の減少と高齢化です。基本的には経済の成長を左右する最大の要因は人口で、特に十五歳から六十四歳の生産年齢人口の動向が生産、消費の両面で重要です」

「日本の総人口が減少していくのに先駆けて、確か生産年齢人口は一九九五年をピークにすでに減少に転じていましたよね」

「その通りです。高齢化で貯蓄を取り崩す人が増えていけば、国内だけでは国債購入の資金が足りなくなり、外国人にもっとたくさん国債を買ってもらう必要が出てきます。その際、外国人はもっと高い金利を要求するでしょうから、国債金利は将来、上昇する可能性が捨てきれないのです」

その後少しだけ、高齢化と経常収支の悪化との関係を解説し、持ち時間の七分が終わった。

久美と修一を照らしていたスポットライトが消えた。スタジオ全体の緊張がふっと緩むのがわかる。

「お疲れさまでした」

ＡＤが飛んできて、胸につけた集音マイクをはずした。久美が立ち上がり、「どうもありがとうございました」と頭を下げた。

修一も立ち上がり「ちょっと話が暗かったですか？」と笑いながら聞いてみた。彼女は「いいえ、視聴者にも、きっと参考になったと思います。またよろしくお願いいたします」と他人のような微笑みを返した。

「宮本さん、帰ってきたら部屋にきてほしいって、桐山《きりやま》さんが言ってました」

海南テレビを出て内幸町の東邦フィナンシャル・グループの本社ビルに戻った途端、若手のアナリストの一人からそう告げられた。

桐山というのは東邦証券の執行役員だ。経営統合先の東邦銀行出身で、修一たちの属する調査部門を統括している。温厚そうな風貌でいつも柔和な態度を取り続けているが、腹の底は決して明かさない。

修一は二十七階の役員フロアへ向かった。専用エレベーターを降りると、スモークグレーの自動ドアがあり、それが開くと両側に役員室のドアが並んだ広い廊下が目の前に延びている。右方向のテーブルに役員専用の受付の女性秘書が二人並んでいて、「調査部の宮本です。桐山専務に」と言うと、立ち上がって黙って会釈をした。

桐山の部屋は三十メートルほど進んだ左側にある。長い廊下は静まり返っていて、自分の足音すら、靴が沈み込むほど深いグレーの絨毯に吸い込まれていく。まるで無音の宇宙空間にでも放り込まれたような気分になるので、修一はいつまでたってもこの場所が好きになれない。

重い木製のドアを静かにノックし、一、二秒ほど待ってそれを押し開けた。

窓際の広い机に腰掛けていた桐山が「ああ、宮本さん、どうぞ」と目の前の椅子を勧めた。白髪に細い銀縁めがねの知的な風貌だ。若い時期、東邦銀行でニューヨーク、ロンドンなどの駐在も経験した調査畑のホープだったという。ただメディア嫌いで、昔からほとんどマスコミには登場したことがないそうだ。

メディアというのは、新聞でもテレビでも、時おり相手側の編集の都合で発言の一部だけを取り出されてしまったり、時には違うニュアンスのコメントを活字にされたりすることがある。つまり、取材される立場には常に危険がつきまとう。

修一は、それはある程度仕方がないと思って付き合っているが、保守的な銀行系エコノミストの中にはそうしたリスクを最初から嫌う人間も多い。桐山もその一人なのだろう。

椅子には腰掛けず、そのまま立って桐山の話を聞くことにした。その形のほうが彼のプライドを満足させるだろうと思ったし、座り込んでしまって話が長くなるのも避けたかった。

「ご足労いただいたのは、ちょっといろいろ苦情が出ていまして、お耳に入れたかったからなんですよ」

修一が椅子に腰掛けないことについて何も意識しないように、桐山は柔らかな表情を崩さずに話し始めた。やはり椅子を勧めたのは表面的な儀礼に過ぎなかったらしい。

少し女性的にも感じられる、やや高いトーンの声。いかにも海外生活の長かったエリート金融マンらしく、部下に対しても丁寧な語り口を崩さない。

「あなたの三週間前のリポート、読ませていただきました。補正で国債発行が膨らむ見通しで、目先は国債価格の下落の可能性が大きいという趣旨でしたね」

黙ってうなずいた。桐山の言いたいことはすでに想像がついていた。

「あなたが債券アナリストとして優秀なのはみんなわかっています。あれを読んで、当行の債券ディーラーも、お取引先も、いったん国債のポジションを減らすために売却に動きました。しかし、ご存じのように、あなたのリポートで一瞬価格が下がった後は、また価格が上昇を続けています。当行のディーラーの中には結局買い直しをさせられて何千万円という損失を出してしまった人間もいます。それからあなたがリポートを送った証券会社も、お客様にいったん国債の売却を勧めて、その後の価格上昇で顔向けできなくなったという声が聞こえているんです」

桐山の後ろには大きくてよく磨かれた窓があり、眼下には乱雑に建ち並ぶ小さなビル群や、彼方の芝公園の緑が一望に見渡せる。こうした素晴らしい眺望は、経済界のごく一部の選ばれた人間だけが手に入れられるものだ。

しかしこれからもそれを維持できる保証はない。三行統合の結果、証券子会社である東邦証券も役員が四十人にも増えてしまい、メディアなどからさんざん批判を浴びた。あわてて半数ほどを「執行役員」という商法上はあまり意味を持たない形式に振り替えたが、実質的に役員が水膨れしていることには間違いない。

この先、役員数の大幅なカットが余儀なくされるのは当然で、水面下では生き残りに向けた凄まじい駆け引きが始まっているようだった。

もっとも、修一の出身母体である光洋銀行出身者の場合は、この二年ですでに大半が役職をはずされてしまっている。これからは残り二行の間で血みどろの殲滅《せんめつ》戦が続く。それは桐山も例外ではなく、ありとあらゆる失点を避けようとする心理を、わからなくもない。

「あなたの予測がはずれつつあることについては、どうお考えですか?」

桐山が銀縁めがねの中の視線を注ぎ、ほんの少しそれを上下に動かした。修一の服装に、彼がいつも違和感を抱いているのは知っている。

薄いペンシルストライプの入った、細身のブラックスーツ。小さな襟の白シャツに、細い黒色のネクタイ。修一は学生時代からこうしたモノトーンの服装が好きだった。銀行系の金融機関の人間としてはやや珍しいかもしれないが、自分では許容範囲だと思っている。

入行以来十数年、組織の暗黙の約束ごとに完全には従わないことから生じる軋轢《あつれき》を、さまざまな面で感じたこともある。それは人よりはるかに努力し、仕事上の成果を残すことで、どうにかやり過ごしてきたつもりだ。

同じことが、誰にでも許されるわけではない。しかし十年程前から東亜経済新聞でアナリストを対象としたランキングが始まったことが、こうした生き方を少しは楽にしてくれた。顧客や市場が修一たちの仕事振りを客観的に評価してくれる以上、上司が仕事以外の点で恣意的に評価しにくくなったからだ。もしそれをすれば、逆に上司本人の評価能力に疑問符がつくことになる。

最近では有力金融機関が自社のアナリストに組織票を投じるよう顧客に工作するという問題も出ているが、ランキング制度がなかった時代に比べ、努力と評価が結びつきやすくはなっている。組織の中での人間の自由とは、こうしたオープンな評価システムの広がりにかかっているのではないかと思う。

桐山の言葉に、修一は姿勢を崩さないまま答えた。

「確かにその後に発表された経済指標でデフレの深刻化がより鮮明になり、金利のもう一段の低下で、債券価格は再び上昇してしまいました。このあたりは確かに読み違えた部分もあります。でもあのリポートで提示した本質的な部分——つまり財政の悪化が深刻度を深めているという点は間違っていないと思います。実際に補正の内容が決まる二月から三月にかけて、リポートに書いたように国債増発が発表される、再度売り込まれる可能性があるという基本的なスタンスは変えていません」

机の端に置かれている大きな薄型ディスプレイのパソコンから、メールの着信を知らせる小さな電子音がした。桐山はそれをチラリと見てから意外なことを言った。

「国債発行が予想ほど増えなければどうですか？」

桐山の意図がわからず、口をつぐむ。桐山はやや厳しい口調で続ける。

「確かにあなたのご指摘通り税収は減少傾向ですが、調査部のほかのアナリストによると、財務省は水面下で歳出の抜本的な見直しに動いていて、補正における国債発行は当初予想の範囲内に抑えるという動きもあるようですね。その場合、国債増発を予想して買い控えていた投資家が一斉に買いに回り、価格のさらなる上昇もあり得るでしょう」

震撼した。

もしそれが事実なら、自分のシナリオは完全に崩れる。年明け二月頃にかけての債券アナリストの評価ランキングの投票にも大きな影響が出てしまうだろう。

しかも、同じ調査部の中で誰かが本当にこうした重要な情報をつかんでいたとしたら、それが自分に一切知らされず、先に桐山に伝えられたことも衝撃だった。いかに統合前に経営危機だった光洋銀行の出身とはいえ、自分はチーフアナリストではないか。

自分の債券分析チームにいる三人のアナリストの顔を思い浮かべた。確かにこのうち光洋銀行出身は修一だけだ。心から打ち解けてくれている人間もいなければ、資料作りを手伝ってくれるアシスタントも付かず、知らない土地で味方もいないまま戦わされているような疎外感を味わっている。

しかし、それでも部下は三人とも、修一の分析能力を尊敬し、上司として認めてくれていると感じていた。そうした思いが間違っていたのを知るのは辛いことだった。

もう一つの打撃は、財務省国債課の安西課長についてだった。つい三日前も、安西に会っている。歳出削減の話など、その時は出ていない。このため、他のアナリストが聞いてきたという話はガセだと信じたかった。しかし万が一真実なら、自分は信頼関係を築いたと思っていた安西にも裏切られたことになる。

桐山は修一の動揺を見抜いたように言葉を続けた。

「今後の相場観についてあなたと議論したいとは思いません。問題は、少なくともこの三週間、現実があなたのリポートとは違う動きになっていて、今後もそれが続く可能性があるということです。早急に調べて、もし結論を変える必要があるのなら、そうしたリポートを書いてください」

――あなたにその情報を知らせたアナリストに、チーフの宮本に先に報告しろとは言ってくれないのですか？

腹の中が煮えくり返っていたが、そうした言葉を呑み込んだ。銀行全体を巻き込んで進む人員削減の渦中にいるのは、それぞれのアナリストも同じことだ。敵か味方かを峻別し、情報を吸い上げ、流し、勝ち組に寄り添うことで生きていくのがいちばん安全だ。光洋銀行出身の修一に義理立てするより、桐山の心証をよくしたほうがいいに決まっている。

窓の外で、十一月の夕暮れが広がり始めている。今日、これから三本のリポートを書かなくてはならないことを思い出した。また帰宅は終電になるだろう。

黙って頭を下げ、桐山の部屋を出ようとした。数歩歩いた時、背後から、桐山の声が追いかけてきた。

「そう、さきほどの海南テレビの衛星放送の件ですが」

――見ていたのか。

そのまま振り返り、桐山に目を向けた。

「キャピタル・フライトの可能性については、私もその通りだと思います。しかし、あれは非常に重大な問題です。メディアを通じてリスクが声高に叫ばれることで、みんなが不安になって実際にそれが後押しされる可能性すらあります。キャピタル・フライトがもし起きれば、当然、国債の価格は暴落します」

「あくまで、リスクの可能性を話しただけです。一部で指摘されているような、必ず暴落や円安が起きるかのような極端な議論はしていませんが」

自分としては、バランスは保ちつつ、個人に資産分散の必要性を話しただけのつもりだ。

「それはわかっています。しかし日本国債への世間の不安は年々高まりつつあります。それがマーケットを動かすことだってあるのです。当行だけでなく日本の主要銀行が、どれほど多くの国債を保有していて、急落があればどれほどの損害を受けるかという視点も、お忘れにならないでください。宮本さんはあくまでも東邦フィナンシャル・グループの看板を背負ってお話しされているわけなのですから」

「わかりました」

短くそれだけ答えて一礼し、ドアに向かって歩き始めた。

「すみません、思慮が足りませんでした」とでも答えたほうがいいのはわかっている。しかし、そこまで気持ちを押し殺すことはできなかった。

桐山の言う、メディアの影響が事態を加速させるという懸念はわかる。ただ、さまざまな分野の専門家があらゆるリスクに口を閉ざし、問題を表面化しないように し続けた結果、何が起きたのか。この国は内部からほろほろと腐り続け、もはや崩壊寸前ではないか。

金利情勢次第ではあるが、基調としてはこれから銀行は、リスクを避けるために国債の保有高を少しずつ減らしていくだろう。同時に円が急落してもいいように、さまざまな形でヘッジをかける。確率がそれほど高いとは思っていないものの、もし実際に極端な円安が起きたなら、今まで通り何が起きているかも知らされなかった個人が逃げ遅れ、営々と働いて積み上げた円資産の暴落をただ呆然と見守ることになりかねない。桐山が望むのはそんな事態なのか。

後ろ手にドアを閉め、修一は役員フロアの廊下に出た。そこは相変わらず音のない世界だった。

薄気味の悪い静けさの中で、上品な白く柔らかい照明が、周囲を煌々と照らしている。人形のように動かずに座っている二人の女性秘書以外、一切の人影がなかった。

左右にずらりと並んでいる数十もの重厚なドア。その奥に潜んでいるものが、まるで現実の人間ではないような気がしてくる。スタンリー・キューブリックが生きていたら、この場所をモチーフに、『シャイニング』の別バージョンを作れるかもしれないと思った。

来期からは役員数を半減させた上、各部署の大部屋の真ん中に席を置き、そこに役員を常駐させるという案も出ているらしい。業務上の効果などわからないが、この気味の悪い空間が世の中から消えるだけでも正しい選択なのかもしれない。

厚すぎる絨毯のおかげで、足を踏みしめている実感すらない。歩きながら、奇妙な浮遊感が高まってきた。自分が今どこにいて、どこに向かって歩いているのかが、再びわからなくなった気がした。

二十一階にある調査部のオフィスのドアを開けた瞬間、電話の鳴り響く音が耳に入った。この部屋には経済分析を担当する二十人ほどのアナリスト、エコノミストが、大部屋方式で詰め込まれている。修一たち債券分析チームのほかにも、設備投資や海外景気動向など、さまざまなチームに分かれていて、まだ何人かが取材やプレゼンから帰っていないらしく、三分の一ほどが空席になっている。

上位アナリストには個室と秘書が与えられる外資系の投資銀行を羨ましく思ってきたが、役員フロアから帰ってきたばかりの修一には、この喧騒そのものが好ましく感じられる。

債券のチーフ席に戻ると、修一の次のポジションにあたるシニアアナリストの渋《しぶ》谷《や》が顔をパソコンに向けたまま聞いてきた。

「どうでした？　桐山さん、なんか言ってましたか？」

渋谷は、東邦銀行出身の三十七歳だ。二年前の経営統合までは債券調査のチーフアナリストだったが、修一にそのポジションを奪われる形になった。

ふと、桐山に情報を流したのはこいつか、と考えた。自分がチーフでなくなったことを気にしているようには見えなかったが、内心は違ったのだろうか。

修一がチーフを追われた場合、年齢的には彼が後任になる可能性が高い。キャリアが長いために財務省内に知り合いも多く、今回の歳出削減のような情報入手のチャンスもあるはずだった。

しかし、いくら想像をしてもエネルギーの無駄遣いだと思い、やめにした。

追い出すなら追い出せ、とも思う。例えば渋谷は何年も債券アナリストをやっているが、一度もランキング圏内には入ったことがない。仮に今チーフになっても、数週間で市場から見切られ、弾き飛ばされる可能性が大きい。

「今後の金利動向、よく見といて、変化にきちんと対応しろってよ」

リポートの結論の修正を暗に求められたことは言わなかった。心の中が、また何かにじりじりと炙られるように熱くなった。

ふと、思い切りこの場所でシャドーボクシングを始めてみたい誘惑にかられた。左右のワンツーストレート、ワンツーからフック、ワンツーフックから続けて左ボディフック、ダッキングして、渋谷の目の前に思い切り体重を乗せた右ストレート……。

気が狂ったと思われるだろうな、と笑いがこみ上げた。渋谷がチラリと視線を向けたのを無視して机のパソコンのスイッチを入れた時、胸ポケットで携帯のバイブが短く震えた。

柏木久美からのメールが届いていた。

――出演お疲れさま。今日のコメントは個人に冷静な資産分散を呼びかけてくれて、有益だったと思います（これはホンネ）。あまり極端な議論も危ないものね。ところで私は今日、七時には空くのだけれど、都合はどうですか？

一瞬、久美とのセックスが頭に浮かび、欲望を感じた。しかし今日のうちに片付けなければならない仕事は気が遠くなるほどの量で、終電にさえ間に合わない可能性がある。

――ごめん。深夜まで出られそうにない。来週またメールする。

短いメールを携帯に打ち返し、同時に久美の映像を頭の中から消去する。

今度はパソコンの画面上で、アウトルックメールのチェックを開始した。

三時間ほどのうちに六十本近い新規メールがたまっていた。くだらない連絡事項と思えるものは、中身を見ずに表題だけで判断して片端から削っていく。

そのうちに、ある一本に目が止まった。

有賀からのものだった。

――十一月の中下旬をメドに、空いている日を幾つか教えてくれ。こっちは深夜か、週末のほうがありがたい。

それだけが書かれていた。

修一はしばらくそのメールに目を落としたままだった。

二十数年前、混乱と深い喪失感、怒りと哀しみの中で、もう有賀には二度と会うことはないだろうと思った。今でもそうした感情がなくなったわけではない。

しかしその一方で、別の思いも生まれてはいた。

有賀は何も語らなかったために細かな経過はわからない。

しかし今ではこうも思える。

有賀と純子の間に何があったとしても、それは防ぎようのない運命の流れのようなものだったのではないかと――。

そうした思いは財務省で再会する前、大都新聞に有賀の署名記事を見つけるようになった頃から、すでに胸の奥に流れ始めていたような気もする。

怒りや哀しみを長く持続するには、とてつもなく大きなエネルギーがいる。それを保ち続けることの可能な時間が、修一の中でもはや過ぎ去ってしまいつつあるのかもしれなかった。

自分と有賀とは、ある部分でとてもよく似ていたと思う。あの場所からはるかに離れたところで、有賀はどのように今を生きているのだろうか。

もう一度、彼とゆっくり話をしてみたいという、渇きにも似た気持ちが強まっていることを感じていた。

4

――あの夏。

青島に出かけた日の帰り道。

フェリーが港に着き、修一は純子を、有賀はサチを自宅近くまで送っていくことになった。本当は純子の家は有賀のほうが近いのだが、有賀は「じゃあ俺、サチを送ってくから」と言った。サチは嬉しそうにしていた。

純子の家は港から徒歩で二十分ほどの距離にある。

いったん弱まりつつあった雨脚は再び激しさを増し、傘に物凄い音で打ちつけている。

港から真っすぐ北に向かう大通りの歩道を、修一と純子は歩いた。片側三車線もある街のメインロードだ。時刻は八時三十分を過ぎていたが、ヘッドライトを点けた車がひっきりなしに行き交い、純子の横顔をぼんやりと照らす。中央分離帯の大きなケヤキの並木が、烈しい雨に打たれ、うなだれているように見えた。

隣の純子を見た。少し疲れた様子で、風に飛ばされないように傘を短く持ち、うつむき気味に歩いている。その時また大通りを車が行き過ぎ、形のいい横顔が夜の暗さの中に白く浮かんだ。

愛おしさがこみ上げて、「なぁ」と声をかけた。

「えっ？」

傘を差したまま、驚いたように純子が顔を向けた。

何かを言いたかったわけではなく、不意にこみ上げた気持ちのまま声をかけてしまったので、そのまま言葉に詰まった。

純子は、雨の音で言葉が聞こえなかったと思ったらしかった。

「なあに？」

雨音に負けないように大声で言いながら、顔を寄せてきた。またヘッドライトが光り、今度は純子の顔が間近に白く浮かんだ。

「なんでもない」

大声で答えながら、純子はとてもきれいだと思った。彼女が自分の恋人であることに、再び痺れるような幸福感で満たされた。

純子は少し小首をかしげ、不思議そうな表情のまま離れ、また少しうつむき加減に歩き始めた。足元で雨が烈しくはねるが、二人ともショートパンツ姿にサンダルなので、足が濡れても構わない。

大通りは緩やかな上り坂になっていて、登りきったところに市役所がある。その右が市立図書館だ。

修一はふと思いついて、純子に「ちょっとそこで座らないか？」と聞いた。図書館は一階が駐車場になっていて、閲覧室や自習室は二階部分にある。このため正面に、二階部分へ続く長くて広い階段があり、途中からは屋根に覆われているので雨が届かない。

図書館の角を曲がれば五分くらいで純子の家に着いてしまう。この雨なので、歩きながらでは言葉を交わせない。あと少し、五分でもいいから、話がしたかった。

純子は傘の中からチラリと修一の顔を見上げた。時間も遅いので断られるかと思ったが、小さくうなずき、自分から図書館の階段のほうへ歩いていった。

二人は階段のちょうど真ん中から少し上あたりに並んで座った。ずっと雨に叩かれていたせいか、傘をたたんでも濡れないことがなんだか不思議に感じる。

そのまま黙って、雨に包まれた夜の風景を眺めた。建物の二階に近い場所なので、さっきまで歩いていた歩道が、その向こうには大通りが、見下ろすような形で広がる。歩道の街灯や大通りのヘッドライトが、雨に滲みながらきらきらと光る。

ザー、という大きな雨音が周囲に響いている。その中で、ポッカリと空いた雨のあたらない空間。階段には街灯はなく、二人の周囲は夜の中に沈んでいる。歩道を時たま傘を差した人が通るが、こちらを見ても人がいることは気付かないだろう。世界から、自分たちだけが切り離されているような気がした。

「時間、まだ大丈夫か？」

「いいの、少し心配させれば。ほんとは、帰りたくないくらいだし」

投げ出すような口調に驚いて純子を見ると、「うち、もうすぐ両親、離婚すんの」と言った。

両親が不仲だとは聞いていたが、事態がそこまで進んでいたのは知らなかった。どう言葉を返せばよいのか迷っていると、純子が先回りした。

「わたしは大丈夫。どっちみち来年はもう、家を出て京都の大学行くつもりだったし」

「そうか……」

そんな返事しかできない自分が馬鹿のように思える。

「でもね……」と純子は言葉を続ける。

「うちの親、今まで、わたしに随分厳しかったの知ってるよね。勉強しろとか、スカート長くするなとか、高校生らしい髪型にしろとか、男の子と付き合うのは二十歳を過ぎてからにしろとか……。あんまりうるさいんで、逆にわたし、反発しちゃってたんだけど。でもね、娘にあれだけ、要するにちゃんと生きていけってことを言っといて、自分たちは勝手に嫌になったから離婚するって、それ何なのよ、って気持ちはあるなぁ」

「そっか」

自分の言葉はとても貧困だ。

「あ〜あ、早く京都、行っちゃいたいな」

純子は両腕でひざを抱えるようにすると、顔をそこに伏せた。

純子は早くから大学では街を離れたいと望み、長い諍いの結果、それを両親に認めさせていた。最初は家を出られるならどこでもいいと言っていたのだが、半年ほど前から京都に決めていたらしい。一九六九年の学園闘争の頃に自ら命を絶った立命館大の女子大生、高野悦子が残した『二十歳の原点』という本を読んで感動し、自分も京都で学生生活を送りたいと思うようになったのだという。

その本は悦子の日記をまとめたもので、修一も純子に半ば無理やりに読まされた。そして惹き込まれた。日記の中にちりばめられた、震えるように繊細で美しい散文詩が、きらきらと強い輝きを発していたからだ。そのうち、自分でも何度も読み返すようになった。

「……なぁ、俺、『二十歳の原点』に出てた最後の詩、覚えたぞ」

純子の気が紛れるかと思い、修一はそんなことを言った。

え？　というふうに、彼女が顔を起こした。頬が光っていて、うつむいている間に、彼女がひっそりと泣いていたことがわかった。

少し気恥ずかしかったが、修一はその詩を小さな声で暗誦し始めた。激しい雨音に、修一の言葉が重なっていく。

旅に出よう
テントとシュラフの入ったザックをしょい
ポケットには一箱の煙草と笛をもち
旅に出よう

出発の日は雨がよい
霧のようにやわらかい春の雨の日がよい
萌え出でた若芽がしっとりとぬれながら

そして富士の山にあるという
原始林の中にゆこう
ゆっくりとあせることなく

「すごい、ホントに覚えたんだ」

純子がそう言い、頬に涙の跡を残したまま、優しく笑った。それからゆっくりと、再び顔を膝の上に伏せた。

少し迷ったが、純子が耳を澄ませているような気がして、そのまま暗誦を続けた。

大きな杉の古木にきたら
一層暗いその根本に腰をおろして休もう

そして独占の機械工場で作られた一箱の煙草を取り出して
暗い古樹の下で一本の煙草を喫おう

近代社会の臭いのする　その煙を
古木よ　おまえは何と感じるか

原始林の中にあるという湖をさがそう
そしてその岸辺にたたずんで
一本の煙草を喫おう
煙をすべて吐き出して
ザックのかたわらで静かに休もう
原始林を暗やみが包み込む頃になったら
湖に小舟をうかべよう

衣服を脱ぎすて

すべらかな肌をやみにつつみ
左手に笛をもって
湖の水面を暗やみの中に漂いながら
笛をふこう

小舟の幽かなるうつろいのさざめきの中
中天より涼風を肌に流させながら
静かに眠ろう

そしてただ笛を深い湖底に沈ませよう

純子はしばらく動かなかった。まだ泣いているのかと心配になり、肩に手を回した。

彼女の肩は少し震えていて、いつもより小さく感じられた。

「……修一くん、ありがとね」

純子はうつむいたまま小さな声で言った。世界は相変わらず雨音に包まれている。

言葉の代わりに、右手で抱えるようにして純子の顔を起こし、そのままキスをしようとした。

純子は少しためらいを見せたが、そのまま唇を合わせた。

雨の音。唇の柔らかな甘さと、純子の髪の匂い。小さく震える純子の肩は暖かで、小学生の頃に飼っていた子犬を抱き締めた時の感触を思い出させた。それは懸命に生きている命の暖かさだった。このキスが永遠に終わらなければいいと願った。

突然、雷がまた光った。純子がビクン、と体を震わせ、唇を離した。遅れて雷鳴が聞こえてきた。

「帰りたくないんなら、朝までここで一緒にいてやろうか？」

「……でも、ここでずっと座ってると、さすがに疲れちゃうね」

純子は、自分を誘ってくれているのだろうかと思った。純子は真っすぐに前を向いていて、整った横顔には何の表情も読み取れなかった。

どうすればいい？　そう考えて頭の中がぐるぐると回ったが、修一には経験もなく、ホテルの場所も入り方も知らなかった。何より、ポケットにはもう二千円と少ししかない。

純子が修一の肩に頭を乗せた。

「朝までではなくていいから、もう少しだけ、こうさせてて」

何もできない自分を気遣ってくれているようだった。

雨はそうしている間にも再び強さを増し、叩きつけるように路上に落ちている。

二人はそのまま十分ほど、黙って雨と夜の街を見続けていた。


そのうちに雷は光らなくなったが、雨はいつまでも烈しく降り続いていた。大通りを横切る白いヘッドライトの数が、めっきり少なくなったような気がした。純子が腕時計を見た。十時半になっていた。

「なんだか、気分が楽になった感じ。わたし、そろそろ帰るね」

純子が柔らかな声で言った。

修一はまだ純子といたい気がした。

純子も、立ち上がる様子を見せなかった。

ふと思いつき、「有賀、素直にサチを送っていったかな」と言った。

純子は、え？　というふうに首をかしげてみせた。

「意外に、自分ちにそのまま誘ってたりして」

本当に軽い冗談のつもりだった。しかし純子は怒ったような声を出した。

「変なこと言っちゃ駄目だよ。……ちゃんと付き合って長いことたつんだったらわからないけど、サチとはまだ二度目だもの。有賀くんって、そういういい加減なこと、するヒトじゃないよ」

口調がなんとなく有賀をかばうようだった。

――純子のことを好きなんじゃないのかと聞き、わかるか、と答えた有賀のうつむいた顔を思い出した。心がざわざわとした。

……有賀。

有賀と自分はどこか似ている。だからこそ親友になった。しかし本質的なところで自分は決定的に彼にはかなわないと思っている。

成績も、ボクシングも、修一が必死の努力でようやくたどり着く水準に、悠々と歩きながら一歩先に到達している。有賀は自分のそんな能力をわかっていながら、別段得意なふうもなく、逆に過剰に意識して隠そうとするところもない。

しかもボクシングの試合中の激しさとは対照的に、普段、誰に対しても優しかった。多分、それは世界全体に対しても同じなのだろうと思う。ジャーナリストを目指しているのもそうした彼の性格に依《よ》るところが大きいのだろう。

二人は練習が終わって帰る途中、市立図書館の前に自転車を並べたままよく立ち話をした。そこで有賀はいつも、少し上気した様子で時々こんなことを言っていた。

「この世界、あまりにもおかしなことが多すぎるよな。それを変えようとしたら、もちろん一人一人の努力は大事なんだけど、世界全体に大きなうねりを起こして、そのうねりの力で変えていくことが早道なんじゃないかと思う。それができるのはメディアじゃないかな。俺はジャーナリストになって、この世界のおかしな部分を、少しでも変えるような、そういううねりを起こしたいんだよな」

それを聞いて修一は、中学生の頃、小雨の降る屋根の上で、「人が幸せになる経済の仕組みを考えてくれよ」と話した叔父のことを思い出した。有賀と叔父は、誰に言われるまでもなく、奥深いところから、自然にそうした気持ちが立ち上ってくる人間なのだろう。一方で自分が経済の研究者を目指すのは、あくまでも叔父の言葉に影響されたもので、もしかしたらそれは借り物なのではないかと思う。


他人がうらやむほどの資質を与えられているのに、自分ではそれをほとんど意識していない人間がたまにいる。有賀にもそういうところがあって、だからこそ修一もなんのこだわりもなく付き合っていられた。

唯一の例外は、純子のことだ。

有賀が、純子を愛している。

それは修一にとって、世界の土台が揺さぶられるような衝撃だった。

純子には、心のどこかでそれを受け入れたいという気持ちはないのだろうか。

そんなことを思いながら言ってしまった次の言葉を、修一はその後長い間、後悔し続けることになる。

「有賀がさ、……君のこと、好きらしいよ」

「……何？　何言ってるの？」

純子が、撃たれた小鳥のように体を震わせた気がした。そして強い視線で修一を見た。

「なんか、君を見る有賀の様子が気になって、聞いてみたら、否定しなかった」

純子は黙り込み、また視線を正面に伸ばした。街の灯りもヘッドライトも少なくなり、ただ雨が降り続いている。圧迫されたような数秒が過ぎた。

――え、そんなの困るよ。

笑顔でのそんな答えを期待していた修一は、意外な沈黙に動揺してしまった。

――なんで黙るんだよ。

純子が修一を見た。大通りのヘッドライトの反射が彼女の顔を一瞬照らした。目が光った。かすかな涙を見たように思った。

「有賀くんのことが本当だとして、有賀くんはあなたに、そんなことを私に伝えてほしいかな」

純子は感情が高ぶり始めているように見えた。

急に立ち上がって、「なんか落ち込んだ。私、帰る」と言い、傘を広げたかと思うと、あっという間に歩き出した。

弁解するような間は与えられなかった。修一は呆然とそれを見送った。

確かに自分の言葉は不用意で、有賀にも純子にも不誠実だった。隠れていた小さなトゲのような劣等感が、失言につながってしまった。

しかし——。

確かにくだらないことを言ってしまった。でも、それほど怒るようなことではないんじゃないか。

そんな不満が、純子に謝り、引き止めることを躊躇《ちゆうちよ》させた。

純子はいつもあまりにも鋭敏だった。かすかな不誠実、澄み切っていないもの、小さな嘘……。そうしたことをカナリアのように敏感に嗅ぎ取って、自分自身が傷ついてしまう。そして相手に対しても、腹をたててしまう。

白いTシャツで黄色の傘を差していた純子の後ろ姿が、ひらひらと舞うように階段を駆け下り、早足で夜に消えた。傷ついた小さな蝶が、自分の手元から不意に飛び去り、夜の暗さの中に消えてしまったようにも見えた。

嫌な後悔の気持ちが胸に漂った。

二日後には純子と図書館で一緒に勉強する約束をしていた。その時に、すぐに謝ってしまおうと思った。

二日後、図書館に、彼女はいつまでたっても姿を見せなかった。

約束の二時を過ぎ、三時、四時と待ち続けた。勉強を終えて二人でボウリングに行こうと決めていた四時半になっても、純子は現れなかった。

――やはり怒っているのか。

ため息をつき、通信添削の数学の問題集とノートをカバンに詰め込んだ。最大の苦手分野は数学で、模試などではこの科目だけがいつも京大経済学部の合格水準を割り込んでしまっている。この夏は集中的に数学にあてることにしていたのだが、この日は純子が気になり、いつもの三分の一程度しかはかどらなかった。

彼女がいったん怒ってしまえば、容易に許してもらえないことはわかっている。

下手をすると、高校生活最後の夏が、このまま純子に会えずに過ぎてしまう可能性すらあった。

気になるのは、前日に有賀からかかってきた電話だった。有賀は電話があまり好きではなく、かけてくるのは珍しかった。

「なんだよ、お前、明日からデュッセルドルフで、準備で忙しいんじゃないの？」

不思議そうに電話に出た修一がそう言うと、有賀はそれには何も答えずに、何か急いでいるように唐突に言った。

「……あのな、お前、純子、大事にしてやれよ。あいつ、ちょっと精神的に不安定みたいだ」

「昨日、純子の親のこと、聞いたよ。ちょっとその後でケンカしちまったけど。……お前に何か、話したのか」と答えると、有賀は少し黙った後、「まあな」とだけ言った。

あまり、いい気はしなかった。

両親のことやケンカのことを純子はすぐに有賀に相談している。どういうことなのだろうと思った。だから、態度がつい荒くなった。

「今度会ったら、謝ろうと思ってる。心配してくれなくても大丈夫だよ。……あ、それから、そっちでもしレナードの試合があったら、ビデオ持って帰ってくれよな」

それだけ言って受話器を下ろした瞬間、かすかに有賀の声が聞こえた気がした。

「修一……」

何かを続けて話そうとしていたのかもしれないと感じたが、すでに電話は切れてしまっていた。

大事なことだったのなら有賀からすぐにかけ直してくるだろうと七、八秒待った。しかし呼び出し音は鳴らなかった。そのまま電話を離れた。

問題はその小さな諍いが夏休み中に起きたことだった。純子の家は厳しく、原則として男性が電話をかけてきた時、両親がほとんど何も言わずに切ってしまうと聞いていた。

学校がある間は、教室で会った時に待ち合わせ場所などを話すことができる。しかし夏休みなのだからそれは不可能だった。

純子のほうから電話がかかってこないかと、じりじりしながら二週間待った後、仕方なくサチに電話をした。

八月の初旬の日曜日の夜だったと思う。

宮本だけど、と名乗った瞬間、電話口の向こうで、サチは一瞬押し黙った。気持ちの動揺が、確かに伝わってきた。しかしすぐにサチはいつもの明るい口調に戻った。

「どうしたの？　珍しいね、修一くんがあたしんちにかけてくるの」

「実はさ、純子とケンカしちゃって。何かあいつから聞いてない？」

そこでまた、わずかな沈黙があった。それから小さな声で、「……聞いてないけど」と言った。

「ええとさ、それで俺、あいつに謝りたいんだけど、あいつんち、電話できないだろ？　ほんっとに悪いんだけど、サチから電話して、俺が謝りたいって言ってることを伝えて、純子から俺の家に電話かけさせてくれないかな」

──また、一瞬の沈黙。

サチは、かすれたような声を出した。

「ええと、……ごめんね。あの子、いったん怒っちゃったら、あたしがなんて言っても駄目だし、そういうことすると、今度はあたしが怒られちゃうのよ。だから、ごめん」

これ以上頼んでも無駄だとわかるような、はっきりした口調での拒絶だった。いつもの気さくなサチとは違っていた。

修一はそのまま諦めて、電話を切った。

純子は自分とケンカしたことを、多分サチにも伝えているのだろう。だからサチは、最初から自分の頼みを断るしかないのだと思っていた。もちろん、純子はケンカの原因が有賀を巡ってのことだとまでは言わなかっただろうが。


サチへ電話をしてからさらに十日が過ぎた。大手の予備校が行う夏の全国模試があったが、純子はそこにも姿を見せなかった。

この時、はっきりとおかしいと感じた。ケンカをしたからといって、大事な模試に出てこないということは純子の性格からは考えられなかった。

あるいは本当に体調が悪いのだろうか。その場合も、何も連絡をもらえないというのは、やはり怒りが持続しているとしか思えない。

——しかし、と思う。

自分はそれほどのことをしたのだろうか。

ともかく、不安でたまらなかった。

修一は思い切って、純子の家に電話をしてみた。もしや本人が出てくれないかと思ったのだ。夜の八時頃だったが、電話口に出た母親は「純子は体調が悪くて寝ていますから」と目の前でシャッターを降ろすような口調で言い、電話を切った。

混乱したまま、家族に見付からないように外に出て、自転車で純子の家に向かった。

市立図書館の角を右に曲がってから、中央公園の脇の道を五分ほど走り、薄暗い高架下を抜けてすぐのところが純子の家だった。

何の変哲もない、木造モルタルの二階建て。家の前の歩道に立って見上げると、純子の部屋の窓には灯りがついていた。時刻は八時五十分だった。夜なのに、遠くでセミの鳴き声が聞こえていた。

一階のリビングらしい部屋の大きな窓にも灯りがついている。純子はどちらにいるのだろうか。別れることを決めたという両親との間で、心細そうにうつむいている純子の姿が目に浮かんでしまい、ひどくせつなくなった。

――純子。

小声で呼んでみたが、それはあまりにも小さな声で、そのまま夜空に消えてしまう。

純子の部屋を見上げた。何かの用事で、不意に純子が一人で外出してはこないかと思いながら。しかしそんなことはなく、十分ほどそうしていてから、自転車に再び跨り、その場所を後にした。

純子の部屋や、リビングについている灯りを見たことで、彼女のぬくもりのようなものを確認でき、安心したように思った。

風の強い夏の夜だった。よく晴れた夜空に、金星が震えるように光っていたのを覚えている。

それから二日後の午前十一時頃、修一の家の玄関前に、油紙で包まれた一枚のキャンバスが置かれていた。

油紙の表に、「宮本修一様」とあり、小さく「瀬尾純子」という名前が書き添えられていた。純子が直接持ってきて、何も言わずに置いていったらしかった。

買い物に出かけようとした母親が見つけ、にこにこしながら「よかったね。誕生日でもないのに、プレゼントくれる人がいて」とからかうように話した。

その場で開けてみると、あの絵だった。

深い森の中から、空を見上げている構図。

美術室で見かけた時よりも、樹木の枝ごとの色の変化が微妙に調整されていて、あの後で相当に手を入れたことがわかった。

何よりも、空の美しさは息を呑むほどだった。どうやってこんな色を出せるのかと思うような深い青色の中に、光がまばゆく交錯している。

どうしてもうまくできない、と純子は言っていたが、ようやく完成したのだと思った。

何よりも、この絵を持ってきてくれたということは、純子なりの和解の表明なのだと思い、長い間のしかかっていた鈍色の空気が一瞬で晴れたような気がした。一緒に手紙などが入っていなかったのが残念だったが、サチ経由で少しでも早く、待ち合わせの約束をしたいと思った。

母親が隣から覗き込んでくるのが気恥ずかしく、ほんの少し眺めただけで絵を油紙に包み直した。後で自分の部屋でじっくりと見ようと思ったのだが、結局それはできないままになった。

純子が死んだという知らせが、クラスの連絡網で回ってきたのは、その直後だったからだ。

あの夏のそれ以後の日々に関しては、自分の精神状態は明らかにおかしくなっていたと思う。純子の死に加えて、葬儀の日、サチから聞かされた話でさらに追い討ちをかけられた。それはあの時の修一にとって、世界の大半がまるきり損なわれたかのような痛手だった。

その頃のことを思い出すたび、長い間心がきしみ、悲鳴をあげ続けてきた。結婚して子供が生まれてからは、ほんの少し薄まったような気もしていた。それでも時おり、純子の夢を見た。

それはいつも、傷ついた蝶のように、悲しげにひらひらと図書館の階段を駆け下りていった彼女の姿だった。ここで彼女を呼び止めさえすれば、すべてが変わる――、そんなことを思いながらも、夢の中の修一は声も出せず、体も動かない。目を覚ました時、やりきれない悲しみのようなものが、いつも体中にまとわりついて、しばらくは離れてくれないのだった。

純子の葬儀の日――。

八月二十六日、夏休みもあと数日を残すだけになっていた。

修一は葬儀のことを有賀にも伝えようとしたが、デュッセルドルフでの連絡先がすぐにはわからなかった。努力すれば何か手があったのかもしれないが、精神的にそんな余裕は残っていなかったし、仮に知らせても帰国は間に合わなかっただろう。よく晴れて、夏らしい暑い日だった。空は雲が少なくて、青空は単に澄んでいるだけでなく、まぶしく光っていた。

修一は空洞のようになった状態で葬儀の会場を後にしようとしていた。純子が修一との交際を両親に告げていなかったこともあって、火葬場への同行はできず、出棺を見送っただけだった。白いシャツに学生服の黒いズボンという姿でぼろぼろとただ涙を流し続ける修一に、純子との交際を知らなかった多くの友人たちは驚いた様子をしめし、事情を理解していた一部の友人たちはどうしてよいのかわからず、腫れ物に触るようにしていた。

葬儀会場は市立図書館の前の大通りをそのまま十五分ほど港と反対側に歩いた場所にあった。「一緒に帰るか」と気遣ってくれた友人たちに首を横に振り、夢遊病者のように会場を出て、大通りの歩道を歩き始めた。その時に後ろから駆け寄ってきたのがサチだった。

サチも制服姿で、目を真っ赤にしていた。修一が振り向いて、顔を合わせた瞬間、サチは号泣を始め、修一の胸にすがりついた。修一もサチの肩に手を回した。真夏の大通りで、昼間、二人は抱き合ったまま泣き続けた。泣きながらサチは、

「あたし、純子の親に嫌われてたから、火葬場に連れてってもらえなかったの。あたし、純子の骨、拾いたかった」と言った。それを聞き、修一もまた泣いた。

しばらくしてからサチは、赤く腫れた目で修一を見上げた。それから「絶対、聞いてほしいことがあるんだ」と言った。何かに怒っているような、強い視線だった。修一は、よくわからないままにうなずいた。

二人とも顔は涙でぐしゃぐしゃで、喫茶店などに入れるような状態ではなかった。どこで話を聞けばよいのかわからなかった。

あてもなく歩き、やがて図書館の前まできた。青島からの帰り道、純子と階段の途中で座り込み、長く話したことを思い出した。あの時にケンカをしたことと、純子の死は関係があるのだろうか。そう思うと、また涙が出た。

二人は階段の途中まで登り、端のほうに寄ってからそこに腰を降ろした。階段の幅は二十メートル以上もあるので、通行の邪魔にはならない。屋根で日差しがさえぎられ、途端に空気が冷たくなったように感じた。

「あたし、昨日のお通夜の前に、純子のご両親に呼ばれて聞かれたの。純子が亡くなる何日か前、お父さんが間違って捨ててしまった書類を捜そうとして、いったんゴミ集積所に出したゴミ袋を持って帰って調べたんですって。そしたら、純子が使ってた白いビニールバッグが捨てられていて、中から産婦人科の診察券が出てきたって言うの。清水市の病院のだったって」

清水市までは電車で三十分以上もかかる。わざと遠い病院を選んだことがわかる。両脇には名前の知らない広葉樹が青々とした葉をつけ、その中でセミがけたたましく鳴いていた。

「純子、保険証とかも使わなくて、診察券も違う名前にしてたらしいけど、お父さんがこれはお前のものなんじゃないかって、随分責めたんですって。純子は結局何も答えなくって、ご両親、純子を叱ったのが自殺の引き金になったんじゃないかって随分気にしてた」

サチはそこで、こらえ切れなくなったように再び嗚咽を始めた。

「……だけど、それで、相手は誰なのか、君なら知ってただろうって。……そう言ってあたしのこと責めるの。まるで、不良のあたしが、純子を誰かに紹介したみたいな調子で」

——産婦人科の診察券？

何を言っているのか理解できなかった。

「修一くんじゃないよね？」

サチが涙を湛《たた》えたまま、また怒ったような目で見つめた。修一はゆるゆると首を横に振った。サチは言った。

「……あのね、有賀くんなんだよ」

——有賀？

突然、強い風が吹いた。周囲の木々がざわざわと揺れる。サチの言葉の意味がわからない。

「あたし、見ちゃったんだ」

つぶやくように言い、サチがうつむいた。

「青島へ行った次の日、あたし、有賀くんちへ行ったの。あのね、純子が撮った有賀くんの分の写真、船の中でもう一回見ようと思ってリュックにしまったまま、忘れて家に持って帰っちゃったから。返しにいくついでに、朝ごはんとかも作ってあげようって思ったの。約束とか何もなかったんだけど、写真返さなきゃいけないし、ごはん作るのも前の日に送ってもらったお礼だってことならおかしくないし、正直、点数稼げるかなって。それで、お豆腐とかノリとか買って、朝の九時過ぎ、彼の家に行ったの。もし、嫌がられたり怒られたりしたら、すぐ帰ろうと思って」

「それで？」

「有賀くんの家の前まできた時、玄関のドアが開きかけて、何か女の子の声みたいなのが聞こえたの。あたし、びっくりして、前の家の塀の陰に隠れたの。見てたら、純子が出てきた。朝、九時過ぎだよ？　そのまま純子はあたしが隠れてるほうの反対側に歩いてったの。純子の服、白いTシャツとショートパンツで、青島の時のまんまだった。……あたし、すごくショックだった。あたし、有賀くん、ほんとに好きだったんだよ？」

サチはそのままうつむいて、声を上げて泣き始めた。

修一はまだ、ぼんやりとしていた。

――純子が妊娠？　相手が有賀？

純子の死そのものですら、まだ受け入れられていない。そのうえにサチが言った言葉は、もはや理性では処理が不可能だった。

少し前にサチに電話した時、様子がおかしかった。それは有賀の家で純子を見たからだったのだろう。

サチは泣きながら、修一の胸をどんどんと叩いた。

「なんかみんな、ひどいよ。みんな、嘘ばっかじゃん。純子だってそうだよ。そうだけどさ、あたし、腹は立つけどさ、死ななくたっていいじゃん。赤ちゃんできたんなら、産んじゃえばいいじゃん。あたし、そうなったら、悔しいけど、ちゃんと、純子と有賀くんに、おめでとうって言うよ？　そうだよね、修一くんだって、そうだよね……？」

また強い風が吹いた。修一にはもう何も考えられなかった。

有賀が、そんなことをするはずがない。

ぼんやりとただ、それだけを思っていた。


その四日後、有賀が帰国した。

翌日の午後二時、修一は有賀を市立図書館に呼び出した。

純子の死を知った有賀は、まるで亡霊のようだった。先に図書館に着いて、階段の一番下に腰掛けていた修一は、ふらふらと歩いてくるその姿を一目見て、心に絶望が走った。有賀は、明らかに純子の死に関係している――そんな直感が走った。

有賀は、崩れるように修一の左隣に座った。そのまま頭を両膝の間に埋もれさせた。

「純子、妊娠してたってな」

そう言うと、有賀は物凄い勢いで頭を起こし、修一を見た。知らなかったらしい。

修一は、前を見たまま、言葉を続けた。

「青島に行った日の夜、俺は純子とここでケンカをした。純子はその後、お前の家に行ったのか?」

沈黙が流れた。有賀は何も答えなかった。修一は再び絶望した。

「サチがさ、次の日、朝メシを作ろうとして、お前の家に行ったらしい。そこで、純子を見たそうなんだ」

そう言って有賀を見た。見つめ返した有賀の瞳が揺れる。

「全部、話してくれないか」

話を聞いたからといって、許せるかどうかは自信がなかった。それでも、有賀の話をとにかく聞こうと思った。純子との間に、一体何があったのか。

返ってきたのは沈黙だった。

有賀は、石のように黙り込んだ。とても長い沈黙。

青空はこの日も、まるで光るように輝いている。

セミがうるさい。こちらの神経を逆なでするようなうるささだ。

「俺の……せいだ」

有賀はそう一言だけ言った。端正な小さな横顔が苦しそうに歪んだ。何かに耐えているようだった。

「なんで純子はあの日、お前んちに行ったんだ？　これまでも一人でお前んちに行くことがあったのか？」

有賀はがっくりとうなだれ、両膝の間に顔を埋めた。あの時の純子のポーズによく似ていた。そう思うと、心に激流が走った。

「何だよ、言えよ。何がどうなってたのか、言ってくれよ！」

とうとう大きな声を出した。

有賀は答えなかった。

再び長い沈黙。

「お前は、わざわざ電話をかけてきて、純子が、精神的に落ち込んでるって言った。俺はあの時、聞き流してしまった。でも、死んじゃうかもしれないくらいの状態だって、お前、わかってたのかよ。それならもっと……」

涙で言葉が途切れた。

有賀はうなだれたまま答えない。

狂ったようなセミの鳴き声。

風で木々が揺らぎ、木漏れ日が美しい小魚のように、修一と有賀の周りを駆け巡る。

　――こいつは、何も答えるつもりがない。

　怒りと哀しみが、修一の心を満たした。

　しかし、せめてただ一言だけ、聞きたい言葉があった。

　喉から振り絞るように声を出した。

「有賀、お前、純子を愛してたんだよな？」

　有賀が修一を見返した。瞳の中に、吸い込まれるような哀しみの空洞が見えた。

　そのまま、黙ってうなずいた。

　ならいい、それならいい。

　修一は、必死で自分にそう語りかけた。

　そのまま立ち上がった。

　歩き始めようとしたが、どうしても自分を抑えられなかった。気が付くと、左に回転するようにして、有賀の顔にパンチを打ち下ろしていた。

　座ったままの有賀の口もとにまともにあたり、有賀はぐらりと揺れた。

　しかし意識は失わず、視線をぼんやりと下に向け、口元を右手で抑えた。その間から鮮血が噴き出し、カーキのショートパンツにぼたぼたと垂れた。

有賀はそのまま、立ち上がろうともしなかった。修一の拳には歯が折れた感触があった。有賀は痛みをただ受け入れているように見えた。

セミの声がまた大きくなった。

修一は歩き出した。大通りを数分歩いてから、自分の右手の痛みに気が付いた。おそらく有賀の歯に当たったのだろう、拳が大きく切れて、血が噴き出していた。別に血などいくら出ても構わない——そんなことを思いながら、烈しい日差しの中をそのままどんどん歩いた。


その時から、さまざまなものが狂い始めた。アルバムをめくり、有賀と一緒に写っている写真はすべて引き裂き、庭で燃やした。有賀と自分が二人で写っている高校総体での写真は、純子が撮ったものなので置いておこうか迷ったが、結局はちりぢりに引き裂いて、そのまま捨てた。

九月になり、新学期が始まっても、修一は学校に行く気分になれなかった。両親が心配して、心理カウンセラーのところに通わせようとしたが、断った。じっとしていると、本当におかしくなりそうだった。

近所のボクシングジムの会長がボクシング部のOBだったため、毎日夕方に二時間、サンドバッグやミット打ちをさせてもらった。

サンドバッグを叩きながら、あの時、自分が純子に発したくだらない一言、あれが原因だったのだろうかと考えた。打ちのめされた純子を有賀の家に向かわせたのは、自分だったのではないかと。それなら純子の死は自分が引き起こしたものなのだろうか。それとも有賀と純子には、その前からなんらかのつながりがあったのか。そうだとしたら、純子はどうして最後に、自分にあの絵を届けてくれたのか。

結局、いくら考えても答えは出なかった。

時々、練習生にスパーリングの相手をしてもらった。あまりに烈しく打ち込むため、トレーナーに何度も叱られた。相手にも危険だし、修一自身のフォームも崩す。そんな打ち方をするなと言われた。それでも実際にスパーが始まると、頭が真っ白になり、同じことを繰り返してしまう。

九月の半ば、ボクシング部の同級生から自宅に電話があり、有賀が高校を辞めたことを知らされた。有賀はずっと荒れていて、夜に酒を飲んで街に出ることも多かったらしい。そして九月の十日過ぎ、とうとう街でケンカをして、相手に重症を負わせた。

相手は傷害などの前科がある人間で、有賀自身もナイフで腕に大ケガをさせられたという話だった。腕はひじの筋が切れていて、ボクシングはできなくなる可能性が高いようだった。

正当防衛が成立し、家庭裁判所に送られることはなかったが、学校としては諭旨《ゆし》退学させざるを得なかった。有賀はそのまま、祖父母のいる東京の杉並で暮らすことになり、数日前に、すでに街を離れたらしかった。

それを聞いても、どこか仕方がないというふうにしか思えなかった。むしろ有賀にも、純子の死が大きな傷になっていることがわかり、救われるような気さえした。

「有賀を一度こっちに呼ぶか、有志が数人でも東京に行くかして、ボクシング部の同期で激励会をしたいんだ。でも有賀に断られている。杉並の家に電話しても、本人は出てこない。お前から、何か言ってやってくれないか」

その同級生はそう言ったが、「悪いけど、俺にはできない」とだけ答えた。

純子の死は友人たちにも衝撃を与えていて、それに関して有賀と修一の間に何かがあったという噂も、校内で広がり始めているようだった。学校を辞めたいのは俺も同じだ……と思った。

そうして家に居続けていると、やがて母親が心配のあまり倒れてしまった。結局修一は、仕方なく十月から高校に通い始めた。

目に触れるものすべてに純子の跡があり、剝き出しの傷から毎日新しい血が流れ続けた。気を紛らわせるために、二カ月にわたって全く手につかなかった受験勉強を無理やりに再開した。そしてひたすらに没頭した。

しかし成績は大きく崩れ、元には戻らなかった。経済的な事情で浪人が難しいことはわかっていた。望んでいた京大は諦め、大阪大学の経済学部に何とか滑り込んだ。

それが二十数年前——高校三年の夏から翌春にかけての出来事だ。

有賀にはそれ以来、会うことがなかった。

今ではもう、あの後に生きてきた時間のほうが、長くなってしまっている。

5

浅草、花やしき遊園地のローラーコースターが、民家を模して作られた建物の間の薄暗い空間へ急降下していく。周囲で巻き起こる悲鳴。一瞬のうちにコースターは再び上昇を始めたかと思うと、突然左に旋回する。空中に投げ出されるかのような恐怖感。クッションが不十分なため、体がコースターの堅い右側の壁にぶつかり、痛さで思わず顔が歪む。

大丈夫か――と左の席を見ると、小学校二年生の駿は目と口をいっぱいに開いて、楽しそうに何かを叫んでいた。

――駿が喜んでいる。

嬉しさが修一の体中に広がる。

二年前、妻と離婚した。

妻は電機メーカーの広報部門で働いていた。

仕事を通じて知り合った広告代理店の社員と、お互いに愛し合うようになったと打ち明けられたのは、離婚よりさらに半年ほど前だった。

あれは駿が夏休みで、一人で妻の実家に泊りに行った日曜日の昼下がりだった。居間でテレビを見ていた修一は、寝室から布団で声を押し殺しているような泣き声が聞こえたのに気付いた。

驚いて問いただすと、気分が悪いと言って寝ていた妻は号泣し、申し訳ないけれど、もうこれ以上隠していられない、と言い、恋人のことを話し始めた。出会ったのはもう二年も前で、その時から、お互いに忘れられなかったのだという。

相手は妻より何歳か下だったが、やはり結婚していた。駿のこともあるし、相手の家庭がどうなるかもわからないので、相手と一緒には暮らさない、しかしもうこんな気持ちになった以上、あなたとも一緒にいられない、と妻は言った。

半年ほどの話し合いの後も、妻の意思は変わらなかった。

何度か声を荒らげた修一に対し、妻は疲れ果てたようにぼんやりと言った。

「私だって、あなたと駿と三人の暮らしを捨ててしまうのが、どんなにもったいないことで、もしかすると、この先一生後悔するかもしれないって思う。それでも駄目なの。あの人と私は、お互いに、初めからずっと探し合っていたような関係で、出会ってしまった以上は、もうどうしても離れ離れにはなれないの。あなたにだって、駿にだって申し訳ないけれど、本当にもう、どうしていいかわからないの」

それを聞き、何かが修一の中で静かに溶けた。

人と人の間には、確かにそういうことが存在するのだと、本当は知っていたような気がした。

そうした関係はただ、厳然とそこに存在し、誰かが変えようとして変わるものではない。本当は知っていて、あえて心に封印していたことを、目の前に取り出された気がした。

それでも、修一は妻を引きとめようとした。妻はひどく悲しそうな顔で言った。

「だってあなた、いつも遠いとこばかり見てたわ。それがなんなのかわからないけれど。一緒にいる時も、あなたの視線が、私を通り過ぎていくようで、すごく不安になることも多かった。……そういうの、すごく消耗してしまうの。結局あなただって、私といるのが本当に正しいかどうか、自分で信じられていないんじゃない？」

妻の言葉から、いつかこんな時がくることを、随分前から予感していた気さえした。しかしそれでも、その言葉を聞きながら涙があふれた。自分はそれでも、やはり妻を愛していたのだと思う。それを見て、妻も泣き始めた。

そして駿との別れには、心を切り刻まれた。

駿は体に飛びついてきて、泣きながら一緒にいたいと繰り返した。

修一は、自分も涙を流しながら、ただ駿を抱きしめることしかできなかった。妻がもう自分と一緒にいられないと言っている以上、駿にそうした両親の姿を見せることのほうがよくないと思ったからだ。

せめて駿を手元に置きたかったが、まだ五歳だった駿を、仕事が終わる深夜まで一人ぼっちにさせてしまうわけにはいかなかった。実家は静岡で遠く、面倒を見てもらえる状況ではない。

妻から、実家の世田谷で自分と祖父母と駿が一緒に暮らすしかないと言われると、確かに他に選択肢がなかった。

このようにして、修一は家庭を失った。

そして今では毎月の第一土曜日だけ、駿と一緒に過ごすことができる。

待ち合わせの場所はさまざまだが、修一の姿が目に入った瞬間、駿はいつも、顔いっぱいに心の底から嬉しそうな笑顔を見せてくれる。自分も、本当に生きているということを感じられるのは、駿といる時だけのような気もする。

ローラーコースターは再び急に落下を始めた。周囲に巻き起こる悲鳴。

また左の席を見る。

髪の毛を風で逆立てながら、駿は輝くような笑顔で悲鳴をあげている。

これからも駿の人生に、一瞬でも、一回でも多く、どうか、こうした笑顔で過ごせる時間が訪れるように——。

自分たちのせいで駿に辛い思いをさせている。そうした負い目があるからこそ、修一はそう懸命に祈り続ける。

駿といると、時間はいつもあっという間に過ぎていく。

二人は高い塔からワイヤーで吊るされた展望室が登っていく形式の乗り物に乗っていた。弱まった十一月の夕暮れの赤い日差しが、あまりよく拭かれていないガラスを通して二人を照らす。

もう五時だ。六時までに駿を、別れた妻の待つ駅の近くの百貨店まで連れていかなければならない。

駿が少し、無口になった。

時間がもう、残り少なくなったことを感じている。

展望室は最上部に達しつつあった。眼下に浅草寺の緑や、浅草ビューホテル、観光通りのビル群が広がっている。

「仲のいい友達はできたか？」

雰囲気を変えようとそう聞いた。

「あたりまえじゃん、いっぱいいるよ」

駿は笑顔に戻って答えた。

「なんていう友達なんだ？」

「言ってもパパ、わかんないじゃん」

笑顔でそう返されて、苦笑した。

「サッカー、うまくなったか？」

駿がうつむいた。「ちょっと」と答える。あまり調子がよくないのかと不安になる。

「ちょっとじゃ駄目だろ。いっぱい練習したら、いっぱいうまくなるんだからな」

つまらないことを喋っているな、と思うが、止まらない。いつも最後はこうだ。一言でも余計に、駿と話をしたい。たとえ同じような内容でも、何度も矢継ぎ早に話しかけてしまう。

今のうちは駿も付き合ってくれているが、あと数年もすれば、「前もそれ聞いたよ」と面倒くさがられるのだろうか。

少し会話が途切れ、あわてて言葉を探す。駿との時間は黄金だ。ほんの少しでも無駄にしたくない。

「パパは、また新聞出てる？」

駿のほうから話してくれた。半年ほど前、自分のコメントが載った新聞を駿に見せると、「パパ、すごい」と思いがけず喜んでくれた。

「ああ、時々出てるよ」

「出た時、お電話で教えてよ。ママ、教えてくれないんだもん」

「うん、じゃあ、今度から、駿と会う時、パパの名前が載った新聞、持ってきてやる」

「ほんとは、載った日に教えてほしいんだけど」

「……うん。でもな、あんまりたくさん、駿のとこにお電話できないからな」

駿が再びうつむく。

よく日焼けした少年らしい横顔に、少し陰が差す。

駿なりに、父親と母親の関係を少しずつ理解していて、どこまでを自分が求めていいのか、覚え始めているようだった。

本来はそんなことは何も考えずに、ただ両親にひたすらすがりつき、甘えられるはずの年代なのにと思うと、また胸がふさがれた。

駿は清潔にアイロンがあてられた、青いラルフローレンのシャツを着せられていた。別れた妻の几帳面な性格は変わっておらず、駿のことはしっかりと見てくれていることがわかる。それだけで、心がほんの少し救われる。


花やしきを出て、駿の手を引き、浅草の街を歩く。もう街は夕暮れに青く沈んでいる。観音通りから雷門前を抜けて、やがて地下鉄の駅に近いデパートへ。

五時五十分。

正面玄関の前で、駿を立たせ、その前にしゃがんだ。同じ高さに、駿の目がある。目から眉にかけては、妻よりはむしろ自分に似ている気がする。駿の頰を両手ではさみ込み、話しかける。

「楽しかったか？」

駿はにこにこと笑い、「うん！　楽しかった！」と元気よく言い、大きくうなずいた。

「じゃあ、パパ行くからな。また来月な」

駿は笑顔のまま、小さくうなずいた。

「じゃあな」

立ち上がり、駿に手を振った。駿も手を振り返す。駿の笑顔が少しこわばっている。

二年くらい前までは、こうして別れる時に、駿は決まってわんわんと泣いた。最近はようやく泣かなくなったが、必死で寂しさを我慢していることは、表情からそのまま伝わってくる。

背を向けて歩き出した。数秒もたたないうちにまた振り返り、駿を見る。

駿も正面玄関に立ったまま、一心に手を振り続けていた。顔が少し歪んでいるように見えた。

修一もまた手を振る。

夜の中に浮かび上がるデパートの灯り。そこに立っている駿の青い小さなラルフローレンが、少しずつ遠くなる。

駿と別れた後、修一は地下鉄の銀座線に乗り、銀座に向かった。六時半に、有賀と会う約束になっていた。ウィークデーは財務省記者クラブのキャップである有賀が深夜まで時間が取れず、深夜以降にスタートするのでは、朝の早い修一にはきつい。結局、土曜日になった。

夜が始まったばかりの時間帯なのに、車内は随分とすいている。

座席に腰掛け、これから有賀と会うのだと考えてみたが、どうも現実感が湧かなかった。有賀と、普通に酒を飲み、話す――。そんな時間が再び訪れることなど、もうあり得ないと思っていた。

目の前の座席に、大学生だろうか、二十歳前後の若者が二人、並んで腰掛けていた。二人とも全面にポケットがついたようなカーキ色のダボダボのパンツを穿き、一人はモノトーンの絵柄の入ったシックなTシャツを着ている。もう一人はオレンジのシャツで襟を大きくはだけ、大き目の薄いオレンジのサングラスをかけていた。

二人は長い足を遠慮なく伸ばし、大きな声で総合格闘技の人気選手の話をしていた。

「やっぱ、今度こそ勝てるだろ。俺、東京ドームのチケット、買っちゃったもんね」

「駄目だって。もう三回も負けてるじゃん。萎縮しちゃって、ホントの力出せないと思うなー」

伸びやかな笑顔。くったくのない会話。街中どこにでもいる最近の若者だ。

ふと、あと十年もすれば、駿もこうした若者になるのだろうかと思った。

今のところ学校の成績はいいようだったが、あまり多くを望むつもりもない。それより、目の前に座っているこの若者たちのように、友人と心から楽しそうに笑い合える、そんな日々を過ごしてほしいと思う。

自分と有賀にも、かつてこんな時間があった。それは突然断ち切られてしまったが。

悲しみの記憶が蘇るのを感じながら、もう一度、自分の心の中をサーチする。パソコンでドライブの中にサーチをかけるように、照明を心の中のあちこちに向けながら。

もはや、あの時のことを問い詰めるつもりはなくなっている。だから有賀と会ってしまえば、慎重に純子の話を避けながら、昔のことと、お互いの今のことを話し、和やかに談笑することになるだろう。でも本当に、それでいいのだろうか。

——あの時の怒りや哀しみ、そして混乱。

それが完全に消えたわけではない。しかし、有賀と会うことをどうしても拒否したいという感情は心の中に見当たらなかった。

逆に、何から会話を切り出せばよいのかわからないという戸惑いを感じた。

ぼんやりと考えているうちに、地下鉄が銀座に着いた。

地上に上がり、晴海通りを歩いてからソニービルの脇を左折する。すぐ左側のビルの五階に、有賀と約束した「那智」というバーがあった。


エレベーターを降りるとすぐ前に、スモークガラスの入った扉がある。それを押すと左側にカウンターが、右側には四人がけのボックスシートが並んでいる。カウンターも、ボックスシートのテーブルや椅子も、どれも木製で黒く塗られている。カウンターの中に三十代と四十代に見えるバーテンダーが二人いるだけのシンプルな店で、音楽も流れていない。

土曜日で、店はすいている。薄暗いテーブル席に、有賀がこちらに顔を向けてポツンと座っていた。

軽く手を上げると、有賀もこちらに気付いた。何かをまぶしがっているように目を細める、とても懐かしい微笑み。その席に歩いていく途中、なぜか時間がゆっくりと流れるような気がした。

「よぉ」

有賀の正面に座りながら、修一はそれだけを言った。

「久しぶり」

有賀もそう短く答えた。黒いジャケットの内側に薄い黄色のシャツを着込み、第二ボタンまではだけている。

整った小さな顔には肉の緩みが感じられず、年齢に見合った落ち着きがある。今でも女性を惹きつけるのではないかと思った。体つきも、昔とそれほど変わらないくらいの細さだ。

「全然変わんないな」

少し呆れながらそう言い、近づいてきたバーテンダーに、カールスバーグの生ビールを注文した。有賀の前にはすでにグラスが置かれている。

「お前もな」と有賀が微笑みを崩さずに答えた。

「……いや。高校時代に比べると六キロ増えて、六十二キロだよ。ジュニアウェルターだな。デビュー時のレナードと戦える」

あの後レナードは次々にウェイトを上げていき、七十九キロクラスのライトヘビーでも戦った。実に五階級でチャンピオンになったのは、ボクシング史上でレナードを含めてわずか三人だけだ。

有賀はそれを聞き、懐かしそうに笑った。

「そうか。俺も一時は四キロ増でジュニアウェルターまでいったんだが、今ではまた元に戻って、五十八キロのまんまだよ」

「お前を抜いちまったか」

体重には気をつけていたつもりだったが、と少し悔しくなった。もっとも、自分が太ったというより、高校時代の体重に戻している有賀のほうが例外だろう。むしろ、年齢の割には彼は痩せすぎているかもしれない。新聞記者の激務は、人間を過食にし太らせるか、あるいは極端に痩せさせるか、そのどちらかが多いことを修一は知っている。有賀の新聞社の後輩でよくコメントを求めてくる広瀬は、前者のタイプだ。

カールスバーグが運ばれ、乾杯した時、有賀のグラスの中の液体が、ビールではないことに気付いた。色が濃いうえに泡がたっていない。

「ウーロン茶なんだ。ちょっと前に肝臓やられて、ドクターストップ」

有賀はどこか恥ずかしそうに自分からそう言った。

――あれだけ酒が強かった有賀が。

修一は時間の流れの大きさに改めて戸惑いを覚えた。変わらないように見えても、もう自分たちはあの頃のままではない。

その時、有賀の口元に、一本の傷のようなものがあることに気付いた。財務省で会った時にわからなかったのは、気持ちが動転していたせいなのだろうか。

「それ、あの時に俺が殴った傷か?」

有賀は気付かれたことを諦めたように微笑む。

「結構、サマになってるだろ。ロンドンで酔っ払いとケンカになりそうになった時も、ボクシングのシャドーとこの傷のおかげで追い払えたよ」

二十年以上も残る傷を有賀に負わせていた。修一は思いの苦さと一緒に、カールスバーグを飲み込む。

傷をきっかけに、意識がどうしても純子のほうに向いてしまう。

有賀が、真っすぐに修一の目を見ていた。思いつめたような光があった。

「あの時のこと、聞きたいんだろ?」

バーとしてはまだ時間が早い。四つあるボックスシートは修一たちのものしか埋まっていない。カウンターにもカップルが二組座っているだけだ。

修一は唇を噛み締めた。

――なぜ純子はあの夜、有賀の家に行ったのか。それともお前たちは、以前から何か特別な関係だったのか。お前は、純子を妊娠させてしまったことに対してどう思っていたのか。そして、純子の死になんらかの兆しを感じていたのか。

あの時、二十数年前に聞きたかったことは無数にあった。特に最後の疑問。青島から帰った次の日、有賀はわざわざ電話をかけてきた。

そして「あいつ、ちょっと精神的に不安定みたいだ」と言った。有賀は何かを感じていたはずだ。それは、もしかしたら、彼女の死を食い止める方法もあったということではないのか。

またカールスバーグを喉に流し込む。

――もう、聞かなくてもいい。

来る前はそう思っていた。しかし今では、むしろ聞くことを避けたい気持ちが起きていた。

――聞いたとしても、それは有賀と純子の物語だろう。自分は結局、土壇場ではそこから弾き飛ばされた。今さら、自分だけ最後に別の場所に取り残されたことに関して、長々と説明など受けたくはない。

　修一は顔を伏せた。

　もういい。

　別の話をしよう、と思った。

「お前、レナードとハーンズの試合、見たか。あれは俺が大学二年の時だった」

　何かを覚悟していたようだった有賀の視線から、緊張の光がふっと消えた。

　ほんのわずかの間、修一の目を覗き込んだ。それから手元のグラスを初めて取り上げた。

「見たよ。当然。俺もその時はもう、一年遅れだが早稲田に入ってた。秋――九月だったよな」

　当時レナードは階級をウェルターに上げ、ボクシングの巨大団体の一つ、WBCのチャンピオンになっていた。もう一つの団体、WBAのチャンピオンだったのがトーマス・ハーンズだ。バズーカのような左右のストレートを武器とする、ハードパンチャー。あまりの強さに〝ヒットマン〟という異名が付いていた。

　レナードとの戦いは、この二つの団体の間での統一王座決定戦だった。当時、予想は真っ二つだったように思う。世界五十六カ国に衛星中継され、ファイトマネーはレナードが十八億円、ハーンズが十三億円だった。

「すげぇ試合だったな」

そう修一が言うと、有賀が言葉を引き継ぐ。

「ああ。ハーンズが軽く打つジャブって、威力はまるっきりストレートだしな。あのレナードが、顔面にパンチ入れられるのを見て、びっくりしたよ。五ラウンドくらいまでは、ハーンズのペースだったんじゃないか」

「そう……しかし確か六ラウンドに、レナードがハーンズのアゴに左フックをヒットさせて、ハーンズがぐらつく。レナード、押されたように見せて、狙ってたんだろうな」

「だよな。でもハーンズは、八ラウンドくらいから、距離とって戦いはじめたろ。ハーンズ、身長が百九十センチでリーチが二メートルだから、レナードが中に入っていけなくなってさ……」

有賀はそう言い、思い出すように遠い目をした。修一も会話が楽しかった。二十年以上前の試合なのに、話しているうちにそのシーンが蘇ってくる。

この試合を、修一は大阪の下宿で一人で見ていた。

あの時、有賀はどこでこれを見ているのかと、ふと思ったのを覚えている。有賀といつか、この試合について話せるのを待っていたような気さえする。

有賀は言葉を続けた。

「で、十四ラウンドだったよな、今度はハーンズが調子に乗ってガンガン攻めて、そしたらまたレナードが狙い澄ましたフック入れてさ。あのハーンズがグラついて。そうしたら後はもう、レナードのラッシュ。滅多打ち」

「そう。レフェリーが止めて、結局はレナードのＴＫＯ勝ち。凄かったよなぁ、あの試合」

そう言うと、有賀は「しかし、お互いよく覚えてるな」と笑った。

ビールのグラスが空になっていた。

バーテンダーを呼び、ラガヴーリン十六年のストレートを注文した。有賀のグラスにはまだ半分以上もウーロン茶が残っている。

「アルコール、ほんとにまったく駄目なのか」

「ああ。ちょっとでも飲んだら、即効でお陀仏の可能性もあるって言われてる」

「そうか。……まぁ、お互いもうすぐ四十一だからな」

少しの寂しさを感じながらうなずいた。有賀と、再び酒を飲める日がくるかもしれない――。心のどこかで、そんなかすかな望みを自分は持っていた気がする。でもこんなふうに会話はできても、二人で存分に酔える時はもう永遠に訪れないということだ。

修一は、自分にはまだ酒のドクターストップは出ていないことが、幸せなことだと改めて思った。忙しさに紛れて数年間検査をしていないので、単に見つかっていないだけかもしれないが。

有賀が「ところでお前、アイレイモルト、好きなのか」と聞いた。

アイレイはスコットランドのアイラ島という場所で作られるウイスキーの総称で、海の匂いの混じったピートで麦芽をいぶすため、どれもが強烈にスモーキーな味わいになる。ラガヴーリンはその代表的な銘柄の一つだ。

中学の頃、小雨の降る雨の中を叔父に屋根の上に連れ出され、無理やり飲まされたのがこれだった。あのころは何だかクスリ臭いとしか思えなかったが、今では一番好きなウイスキーになっている。その叔父はアフリカのガーナに住みついてしまい、そこで医療活動を続けている。日本にはもう長い間帰っていないはずだ。

「そう言えばお前、ロンドンにいたんだもんな。モルトは詳しいな」

「俺もアイレイが一番好きだったよ。どっちかといえばラフロイグを多く飲んでたけどな。とにかくアイレイのうまさを味わうと、バーボンなんかが、甘ったるくて飲めなくなる」

修一はうなずき、ラガヴーリンをひと舐めした。ツン、と海の香りが喉の奥に立ち上る気がするモルトウイスキーだ。

バーの薄暗い照明の中、有賀の懐かしい笑顔がすぐ目の前にある。

不思議だった。こんな機会が再び訪れるとは思えなかったからだ。

会話も楽しかった。二十数年も離れていたのに、まるで、よく会っている友人と話しているように、何の違和感もなかった。やはり自分たちは、本来はずっと一緒にいられたはずの間柄だったのだろうと思った。

しかしこの後、有賀と頻繁に連絡を取るようにはおそらくならないだろう。

もう一度会って、二十数年分の話をしたかったのは有賀も同じだったように思われた。しかし時間の経過によって取り戻せるものもあれば、取り戻せないものもある。それは二人ともよくわかっている。

自分たちは、再び会わなくなるだろうと思った。それがわかっているからこそ、今はいろいろな話をしたかった。

「ロンドンって言えば、お前に伝えたいと思ってたことがあった」

有賀が口を開いた。

「お前は高校時代、ヒトの幸せにダイレクトに結びつく経済のメカニズムってのがあるかどうか、って言ってたことがあるだろう」

――心が動いた。そんなことまで、有賀は覚えていてくれたのか、と思った。少し気恥ずかしい、遠い記憶だ。

「ロンドンで、ヒントになるかもしれない動きを感じた。ＳＲＩだ。最近は日本でも話題になってるから、お前も、知ってるだろ」

「ソーシャリー・レスポンシブル・インベストメント……社会的責任投資だろ？環境を壊さず、法令遵守も徹底して、従業員なんかにも優しい。そういう企業を選んで株を買う手法だよな。そういう〝いい会社〟の株はＳＲＩ投資の対象になって上がるので、高い株価で新しい資金を調達できて、ますます事業を伸ばせる。逆にこうしたことに熱心じゃない企業の株は買われないので下がってしまい、経営者は責任を取らされる。最終的には社会的責任を重視するいい企業が残り、社会全体のあり方もいいほうへ向かわせることができるってやつだよな」

「どう思う？」

「理念は面白いし、説得力もある。ただ問題は、そうした手法を用いた投資が、普通の株式投資に比べて儲かるかどうかだよな。経済的にメリットがなくてボランティアみたいな投資手法なら、残念ながらそれは大きなうねりにはならないだろう。アメリカあたりだと、普通の投資よりむしろ儲かってるって言うけど、あまり詳しい動きは知らない」

「あれは、もしかすると、本物かもしれないぞ」

有賀はそう言いながら、正面から修一の目を覗き込んだ。曇りのない、強い光を湛えた視線。昔のままだ。

「イギリスで二〇〇〇年の七月から、年金法の改正で全部の年金基金が、SRIに関する方針を届け出させられるようになったんだ。つまり、環境や倫理とかに対してきちんと対応している企業にしか、年金基金はだんだんと投資できなくなってるわけ。イギリスの年金基金はロンドン証券取引所の時価総額の三五％も持ってる。そういうところが、いわゆる〝いい企業〟にしか投資できなくなるっていう影響は大きいぜ。アメリカはその前から同じような状況になってるし、ヨーロッパでもドイツ、ノルウェーなんかに同じ仕組みが多分導入されると思う。

いろんな企業がこれからはどんどん、社会的責任を考えざるを得なくなるわけだ。いい会社の株は年金などがどんどん買っていくわけだから、そういうところに事前に投資しておけば当然儲けも大きくなる。利益追求と、環境や倫理の追究という流れが、好循環でどんどん大きくなっていく。この流れは、当然日本へも波及するぞ。お前が昔言ってた、ヒトの幸せにダイレクトにつながる成長をもたらす仕組み、ってのが、目の前ででき始めてるのかもしれない。もし興味あるなら、ヨーロッパのSRIの専門家、紹介するよ」

ラガヴーリンの酔いがゆっくりと回ってきた。気持ちがブルーになる。

――あの頃、そうした気持ちでエコノミストを目指した。今の仕事は、確かに民間エコノミストの端くれではある。しかし、やっているのはしょせん、東邦フィナンシャル・グループという機関の利益をどう伸ばすかだ。SRI投資の概念は非常に面白いが、そういう今の業務とまったく関係がないことに動いていることがわかれば、社内的にはマイナス評価だろう。

修一は残ったラガヴーリンを飲み干すと、バーテンダーを呼び、今度はラフロイグ十五年のストレートを頼んだ。少し前に有賀が好きだと言っていた酒で、これもアイレイモルトの代表的な銘柄の一つだ。一番スモーキーでクセが強いが、それだけにうまい。

有賀はそれを見て少し考えた後、「……本当はいけないんだが」とつぶやくように言った。そしてやはりラフロイグのストレートを注文した。

「大丈夫なのか？」

「匂い、嗅ぐだけだよ」

どこか投げ出すような答え方だった。それでも、修一は、有賀が一緒に飲もうとする姿勢を見せてくれたことが嬉しかった。

自分の心の中の有賀を憎む気持ちが、予想外に薄れてしまっている。それで本当にいいのかと、心が揺れる。

「お前、新聞記者、楽しそうでいいな」と愚痴のような言葉が漏れた。

有賀は修一の沈んだ口調に、少し驚いたようだった。

「仕事……、きついのか？」

「うちは実質的に吸収合併された身だからな。アシスタントも付けてもらえず、実質的には全部一人でやってる。朝七時半に会社に行って、会社を出るのは平均すると夜の十一時だ。……まぁ、ランキング入りしてるから、今のところ切られてはいないけど、最近ちょっと立場がやばくてな。そろそろ失職かもしれない」

「やばいってのはなんだよ。有名アナリストにしては弱気だな」

「お前も知ってるだろうが、国債課長の安西……三カ月前にきた奴だよ。実は一カ月前、あいつに呼びつけられて、税収が足りないので補正で国債が予想以上の増発になる、需給の悪化で金利が上がりそうだ、っていうリポートを事前に流してくれないかって言われてな。こっちとしても、悪い話じゃないから、その通り流したんだが、ご存じの通り、その後も金利は低下が続いてる。ここまではずしたのは久しぶりだ。まいったよ。挙句の果て、歳出削減を予定以上に進めるんで、国債発行額はそれほど増えず金利も上がらないという見方まで浮上してきた。もうすぐ、やっぱりまだ金利は低下を続けそうですって全面降伏のリポート、書かなきゃいけなくなる可能性がある」

有賀は考え込むような目になった。

「安西か。一見、そのへんの中小企業のオヤジみたいで庶民的なふうに見せてるが、腹の底は読めないな。……そもそも官僚ってのは、信用するとえらい目にあうぞ。そう言えば——俺が記者になって三年目、もう十数年も前なんだが、駆け出しで財研にいた頃にこんなことがあった。

当時、土地価格が暴騰していて、旧大蔵省は不動産関係への融資を絞り込むことでそれを沈静化しようとした。いわゆる総量規制だ。最初にリークさせて記事を書かされたのが当時の俺の先輩だった。しかし記事を書いた後、大蔵省はしばらくの間、その正式発表はせず、どうなってるんだ、と先輩はデスクからさんざん怒鳴られてた。

俺はその先輩の手伝いで、事実関係を確かめるために大蔵の幹部に随分夜回りしたよ。その時わかったのは、先輩が記事を書いた時点では、総量規制の実施はまだ実質的にも決定してなかったってことだった。俺が夜回りした大蔵の幹部が、そこでこう言ったのが忘れられないよ。〝君らに記事を書かせたのは、池に小石を投げ込んでみて、どんな波紋が広がるか確かめたかったからなんですよ〟ってな」

――水面に広がる波紋。有賀の言葉がリアルに感じられた。彼らは確かにそうした発想を持っている。有賀はかすかに怒りを沈ませた声で続けた。

「……俺は聞いて、反吐《へど》が出そうになった。こいつら、自分の権力で社会が右に行ったり左に行ったりする様子を、どこかで楽しんでやがる、と思った。小石を投げ込んで、思いがけない反応が起きれば、その政策はやめて違う政策に転換するってことだろう。それを書かされた記者や、記事を読んで例えばもう不動産は駄目だと信じて土地を売ってしまった人間がどうなるかっていう、そういう痛みへの想像力がない。――結局総量規制は実施されたんだが、正式決定は先輩が記事を書いてから一年半も後だったので、先輩はもう担当をはずされてしまってたよ」

店は少しずつ混み始めていて、隣の席には二十代らしい女性の二人連れが座り、カクテルを飲んでいる。少し前から、チラチラと有賀のほうを見ていたが、急に一人が有賀に向かい、「あの、すいません、そのお酒、何なんですか?」と聞いてきた。

有賀に近づきたいための言葉だとすぐにわかる。少し驚いた。四十歳を過ぎても、有賀の女性を惹きつける力は衰えていないようだった。女性たちは修一のことはまったく目に入っていないようで、思わず苦笑する。

有賀は「ラフロイグです」と不親切にただ事実を言った。女性は少し微笑んで頭を下げた。諦めたようだった。有賀はラフロイグを口元に持っていき、香りを楽しんでから、ほんの少しだけ、舐めるように唇をつけた。

「久しぶりだ。やっぱうまいな」

そうつぶやくように言い、話を続けた。

「しかしな、宮本。安西がお前にリークした一カ月前の時点では確かに不透明だった気がするが、今の状況だと、国債の増発はやっぱ避けられないぞ。補正は、与党から雇用対策や社会資本整備費を逆に上積みしろっていう圧力がここ何日かで急に高まってる。確かに交付税を中心に歳出も削り込んでるが、どうも間に合わない。

そうなると、お前が書いたように、結局は補正で四、五兆円の増発はやはり必要になる可能性が高い。断定はできないが、お前のリポートは最終的には当たりになると思う。多分、長期金利がこのまま一%を切る状況は続かず、国債価格は間もなく下がるんじゃないか」

「……すまん。助かるよ」

実は国債増発がやはり避けられそうもないという見通しは、つい数日前に修一自身も財務省の安西に再度確認を取ってはいた。しかし財務省としていったん増発額を抑えようとした動きがあったのは事実で、修一に最初にリークした時点では事態は流動的であったようだ。

そんな中、安西が市場の反応を見るために、結果的に誤りになるかもしれないリポートを修一に書かせた可能性は高かった。このため、増発に関しても国債課の話だけでは信じきれない面があって、有賀の言葉によってそれが裏付けられたことは嬉しかった。

しかし、まだ単純には喜べない。問題はさらに先へ進み、複雑化する様相を見せていた。財務省は、増発分の多くを期間の短い国債の発行で補い、長期金利の上昇を抑えるという新たな検討に入っていた。背景で動いているのは、この国の巨大金融機関だ。

　そうした状態を有賀に告げようとして、瞬間、周囲の薄暗い空間を見渡した。さきほど有賀に声をかけた女性たちはすっかり諦めたらしく、顔を寄せ合うようになにかをささやきあっている。右隣のボックス席は空席で、内密の話をしても聞かれる懸念はなさそうだった。

　修一はラフロイグを少し喉に流し込んでから、話を始めた。

「有賀、知ってるか。実はいろんな金融機関が財務省にある働きかけをしている」

　それを安西から聞かされたのは一週間ほど前のことだ。修一が国債課の応接スペースで待っていると、安西は薄くなり始めた頭髪をいつものようにハンカチでなでつけながら、せわしなさそうにやってきた。

「あぁ、宮本さん、頑張ってるねぇ。リポートの本数、アナリストの中で一番なんじゃない？」

　街の工場主のような気さくな態度。彼がどこかの居酒屋にいたら、財務省のキャリアだとは誰も気付かないだろう。

「……ところで宮本さん、これ、どう思うかなぁ」

　安西は少し声を潜めるように言った。

その内容というのが、次年度予算での短期の国債の増発だった。具体的には五年以下の短い国債の比率を、従来より大幅に高い七五％程度に引き上げるというものだった。

そもそも国債は、期間が六カ月のものから一年債、二年債……とさまざまで、最長は四十年債だ。このうち、今まで中心だったのは長期金利の指標である十年債で、発行量も一番多い。しかしさらに十年債を多く出すと、供給が増えて人気がなくなり、金利をより高くしないと売れなくなる。要するに長期金利の上昇につながる。

それを防ぐために、今後国債を増やす時は、期間の短い半年から五年物までなどの比率を増やすことで対応し、十年物以上の国債の増発を抑える。その結果、指標である十年物の金利が上昇しないようにする、というのが趣旨だった。

一方で、短期の国債の比率を増やせば今度は短期金利が上昇してしまうかというと、そうはならない可能性が高い。

長期金利は需給などを反映して市場原理で動くが、どこの国でも短期金利は政府のほぼ完璧なコントロール下にある。具体的にはコール市場という短期市場への資金の出し入れを通じて、金利を抑え込むことが十分に可能だ。つまり短期国債を主体に増やすということであれば、金利水準にはほぼ影響を与えないですむことになる。

聞きながら、修一は安西に対する鈍い怒りのようなものを覚え始めていた。

安西が意見を求める気持ちはわからなくはない。

国債課の課長とはいっても、さまざまな部署を二、三年ずつ経験しながら昇進を重ねていくのがキャリア組の人事である以上、債券市場のプロとは言えない。アナリストの中でも経験の長い修一が持つ影響力を、安西が重視していることは間違いなかった。

しかしそれでも、安西はいったいどんな神経をしているのかと思った。

確かに十年物以上の長期債の比率を小さくすれば、長期金利の上昇は抑えられるかもしれなかった。しかしそれは、以前に安西の言葉を契機にして自分が書き続けてきた、長期金利の上昇という観測がはずれるということでもある。

アナリストという職種は、その分析の対象が株であれ、為替であれ、債券であれ、上昇か下落か横ばいかという立場を鮮明にし、結果の的中度合いと、その立場を取る理由の説得性で勝負をしている。

安西は国債増発が確定していない時期に、修一をいわば実験台にするようなリポートを書かせたばかりか、今度は修一の予測とは逆の結果を生む政策を立案し、それでいて意見を聞こうとしている。使い勝手のいい道具としか見ていないようではないか。

もっとも、怒りの本質はより根の深いところにあった。

今の情勢下で短期債の比率を増やすことは、確かに目先の金利水準には影響を与えないかもしれないが、長い目で見ればこの国の財政をより深く蝕む可能性が高い。そして安西にそれを勧めている勢力が何なのかも、一瞬のうちに頭に浮かんだ。

抑えた声で、安西に答え始めた。

「……確かに違う満期のものを増やしてほしいという投資家のニーズはあります。その意味で二年、五年の短期債を増やすというのはいいかもしれません。しかし七五％というのは高すぎるんじゃないでしょうか。

短期債の場合は、期間が短いですからすぐに償還期限がきて、そこでまた借り換えなければいけません。その時に金利が今の低い水準を保っているかどうかわかりません。仮に上昇していたら高い金利での借り換えが必要になり、財政の負担が増します。それよりもせっかくの低金利なんですから、これを利用してむしろ、十年、二十年、三十年といった長期債や超長期債を増やしておくべきじゃないでしょうか。

確かに長期債を増発すると供給が増える分だけ金利をやや高くしないと売れない

かもしれませんが、金融機関の異常なカネ余りの状態を考えると、長期金利の上昇は小幅でとどまるはずです。その結果、相対的に低い金利のまま何十年も固定できるわけですから、財政の悪化のスピードを少しでも遅らせられるでしょう」

安西の小さな目が光ったような気がした。

「東邦フィナンシャル・グループの宮本さんに、そんなお話を聞くのは意外だねぇ。長期債をあまり出してくれるな、っていうのは、むしろあんたがたの業界の関係の人からの要望が多いんですよ？　確かに長い目で見たら長期債を増やしたほうが得ですが、その結果、宮本さんが言うように、目先は長期金利が若干でも上昇してしまうリスクがある。それだけはなんとか避けてほしいっていう意見は多いんだ」

聞いていて、胸の中に泥を流し込まれたような思いがした。

例えば大手の金融グループは、国債を百二十兆円規模で保有している。平均残存期間は三年弱なので、長期金利が例えば一％程度上昇すれば債券価格の下落で三兆円規模の評価損を抱えることになるだろう。

さらに地方の金融機関は運用難の結果、資産規模に比べて国債での運用比率がさらに高い。長期金利の上昇は、保有国債の価格下落を通じて金融機関の弱った体力を削ぎ落とすことになる。

修一は言葉を続けた。

「――だからと言って、目先の金利を抑え込んでも、それはほんの時間稼ぎに過ぎませんよ。確かに長期債の発行を抑えれば一時的に長期金利は上がらないかもしれませんが、そうした無理は、いつか逆の大きなリアクションになって跳ね返ってくると思います。それより、繰り返しになりますが、せっかく低い金利で長期間の資金調達が可能な時期に短期債を中心に発行するということは、そのチャンスを逃すということになります」

安西は人のよさそうな笑顔を崩さないままうなずいていたが、チラリと腕時計に目をやり、「そうだ、ちょっとまた僕、局長のところへ行かなきゃいけないから」と言い、腰を浮かせながら言葉を続けた。

「やっぱり宮本さんはほかのアナリストとは見方が一味違うなぁ。ありがとう。参考になりましたよ」

どこまで本心なのだろうか、と思いながら修一も立ち上がった。その瞬間、安西は笑顔を消し、修一の肩に手を置いた。そのまま声を落として言った。

「僕ね、ほんとに君のことは買ってる。君の分析力を評価してるだけでなく、君の市場への影響力をいろいろ使わせてもらうこともある。だから言うけどさ、今度の件に対する対応は、ちょっと気をつけたほうがいい。正直言うと、長期金利の上昇を一時的にでも抑えてほしいっていう要望は、君のとこの上のほうからもきてる。──なんていったかな、君の上のえらい人、桐山さんだっけか、うちの局長のほうに、直接そういう話を持ってきてる。僕がそのまんま乗るかどうかは決めてないけどね。まぁ、とにかく、そういうこと」

安西はポン、と肩を叩くようにし、せわしなさそうにそのまま応接の仕切りの向こうに消えていった。

有賀は黙って聞きながら、しばらく手元のラフロイグに視線を落としていた。濃い琥珀色の液体を間接照明のライトがぼんやりと照らしている。

「しかし、腹のたつ話だな。お前ら金融機関は、財務省に短期債の比率を上げるかわりに長期債の発行を抑えさせることで、長期金利の上がるのを少し遅らせてもらって、その間に保有している国債を売り払って逃げちまおうってわけか」

「……まぁ完全には逃げ切れないだろうがな。うちの桐山だけじゃない。多かれ少なかれほとんどの金融機関はそれを望んでる。アルゴ・フィナンシャルグループや極東バンク、日動証券……、みんな事情は同じわけで、特にそのあたりから、とにかく目先は国債の平均発行期間を短くしてくれっていう要望がどうも継続的に出てるらしい。しかしそのためにせっかく長期間、低金利で資金を調達しておけるチャンスを逃してしまって、結局それは将来の財政負担の増加になって現れてくるわけだ」

修一は視線を上に向けた。「那智」の灯りは壁の間接照明だけなので、天井は真っ暗で何も見えない。酔いが回ったのか、自分がそこに吸い込まれるような気がした。

「その話、新聞で書いていいか」

有賀が、真っすぐに修一の目を見ていた。目の芯に光が浮かんでいる。昔のままの、きれいな光だと思った。

一瞬、迷ってから、首を横に振った。

「……少し待ってくれ。俺自身、どういう対応をしたらいいか、考えあぐねてる」

有賀はすぐにうなずき、「そうか。じゃあ、とにかく何か進展があったら連絡をくれ」と言った。

「悪いな、こっちから話しといて口止めしてる」

「いや、いろいろ水面下の話も聞けて面白かったよ。しかし安西っていう奴が、よくわからなくなった。結構不思議なキャラクターだな。お前を利用してるだけかと思ってたが、さっきの最後のアドバイスを聞く限り、それだけでもないみたいだ」

「……そうなんだ。この話がやがて広がった時に俺がリポートで反対意見を書くだろうってことを読んでいて、そのことで俺が社内で浮いてしまうことにならないか、心配してくれている。まぁ、まだ利用価値があるから、つぶれてしまわれると困ってだけかもしれないけどな。しかもあのやけに気さくな雰囲気だろ？　最初のリークはやっぱりうまく実験台に使われた気もするけど、だんだん怒る気もしなくなってきた」

「そのへんの複雑さも含めて、エリート中のエリート、〝ザ・財務官僚〟ってとこか」

　有賀はそう言ってさらりと笑った。

「ところでお前、経済の研究者なら大学に残るって手もあったろう。どうしてそうしなかった？」

「大学の教授がちょっと変わった人でな。経済は生き物だ、経済を本当に知りたいなら、大学になんか残らずに、金融機関に入って生きた経済を勉強しなさい、って言われてな。そんなもんかと思ってしまった」

あの時の選択について、後悔の念が年ごとに高まってきているのを感じている。確かに、銀行に入ったおかげで、大学に残っていれば学べない実践的な知識も多く身に付けることができた。しかし一方で、調査範囲が制限されるうえ、所属している会社に不利なことは言えないなど制約も多い。大学の研究者のほうが自由度は高かっただろう。何より、出身銀行が実質的に吸収されたからといって、組織の中で孤立しなければならないような状況には追い込まれていなかったはずだ。

これまで何十年も生きてきた中で自分が行ってきたさまざまな選択。

それぞれの時点で別の選択をしていたなら、自分は今どこにいるのだろう。年齢を重ねるごとに、そうした思いにとらわれることが多くなっている。

——自分が開けなかったドアや、曲がらなかった道。

その向こうにはどのような世界があったのかと。

そのことでは有賀に対し、恨みのような気持ちもある。

高校三年の時、純子の事件が起きず受験のペースが狂わされなければ、自分は目標どおり京都大学に入れていたのではないか。そのアカデミックな校風の中で、当初考えていた研究者の道に進んでいたかもしれない。

仮に民間金融機関に就職したとしても、吸収された側の光洋銀行ではなく、京大閥が比較的有力な東邦銀行に入行していたかもしれない。それなら今頃、自分が組織の中で味わっているような孤独や屈辱など、感じなくてもすんだのではないか。

——馬鹿馬鹿しい。

自分が嫌になり、考えるのをやめた。人生の責任を誰かに負わすことなどできはしない。せめてそれくらいのことは、この年になればわかっている。

またラフロイグが空になり、今度はラフロイグとシャルトリューズの一対一のカクテルを頼んだ。飲めなくなった有賀の前で、最初こそ遠慮気味だったが、酔いが回るに連れて止まらなくなっている。

「すごいピッチだな」

有賀が笑った。せっかく頼んだラフロイグは、時おり口元に近づけて香りを楽しむだけで、ほとんど飲んでいない。

——でも、お前はいいよな。結局は、目指していた記者の道を順調に歩いている。

再び暗い感情が巻き起こるのを抑えつけ、「ところでお前、結婚はしたのか？」と有賀に聞いた。

「したよ。六年前だ。今は五歳と二歳の女の子がいる」

「女の子がいる」という言葉を出した時、父親らしい隠し切れない喜びが、有賀の表情に見えた。

よかったな、と心の底から思えた。純子のことでは有賀も相当に苦しみ、高校まで辞めるはめになった。もう、過去の話だ。

ただ、六年前というとやや遅い結婚だったことになる。有賀なりにあの事件を振り切ることにやはり時間がかかったのだろうか。

「お前は？　子供はいるのか？」

「いる。八歳の男の子だ。でもな、二年前に離婚したんでなかなか会えない」

自嘲気味に笑いながら答えた。有賀が「そうか……」と小さな声で言い、視線を下に向けた。修一は言葉を続けた。

「それでも子供がいてよかったって思ってるよ。しかも男の子なんで、もし自分が今死んでも、なんか自分を受け継いでくれるようなものを、後に残したみたいな感じがある。まぁ、子供には辛い気分を味わわせちゃってるけどな」

有賀はまた「そうか」と言い、修一を見た。

含羞をたたえた微笑みの中に、透き通る光のようなものを感じた。有賀は、少しも変わらずに生きているのだと、うらやむような気持ちになった。

その後も、銀座のバーで有賀と修一は、まだしばらく話し続けた。

修一の酔いが深まった頃、有賀が突然、「この国、どうなると思う?」と聞いた。自分で聞いておきながら、有賀は自分で「俺は、終わっちゃってるんじゃないかって思うぜ」と言い、そのまま喋り続けた。

「一番の要因は、お前も何かで書いてたと思うが、とにかく経済動向を根本的に決めてしまう人口が、これから大きく減少していくっていうことだよな。人口が大きく減少する中で経済の規模を維持しようとするなら、みんなが効率的に働いて生産性を上げなきゃいけないし、国民の資金をそういう効率のいい部分に向けなきゃいけない。でも現実は逆だろう。銀行預金や郵便貯金の運用先として間接的に投資される部分も含めると、国民の金融資産の六割以上が国債とか財政投融資に回っていて、その資金はつまらない土建国家的な仕事で消えている。官の無駄遣いにブラックホールみたいに吸い込まれていくわけだ」

ほとんど飲んでいないにも関わらず、有賀もまるで酔っているかのように、グラスを片手に喋り続けた。

「本来は成長の原動力になる民間企業の株式に向かっている資金は、同じベースで国民の金融資産のわずか一四%だ。アメリカだと、資金の半分以上が企業に回っているのと大きな違いだ。企業に向かう金は成長分野に効率的に使われる比率が高いから、結果的に国を豊かにする。日本みたいに人口は減るわ、資金は有効に使われないわじゃあ、国が上向くはずがない」

「俺もそう思う」と修一が答えた。

有賀はやりきれないといった様子で続けた。

「記者をやっていて、ますますこの世界がわからなくなってしまったこともある。一人一人がこれだけ一生懸命に働いていていて、その結果、誰も現状を正確に知らされないまま、みんなで沈んでいこうとしている。これは何なんだって思うね」

「那智」を出た時、時間は午後十時だった。修一はもう一軒流れたい気分だったが、有賀が酒を止められているので断念した。

並木通りには人があふれていた。多くのサラリーマンが、OLが、笑いさざめきながら、ネオンに照らされ、青い夜の闇の中でゆらゆらと歩いている。

——ニッポンの、青いゴーストか。

有賀がポツリと言った。シャツの胸元をはだけた長身が、夜の中で風に吹かれている。

近くを通り過ぎたＯＬが、チラリと有賀を見たのがわかった。

えっ、と修一は聞き返す。

「もう終わってるのに、もう死んでるのに、それを知らない振りをして歩き続けている人々」

有賀はどこか歌うように、小さな声でそう言った。

それを聞き、なぜだか一瞬震えたのを覚えている。

言葉の中身も、言い方も、有賀らしくない――。

そう思った。

一緒に四丁目の交差点に向かって歩きながら、有賀は低い声で続けた。

「もちろんこれからも一時的に景気が上向くことはあるだろうし、中国やアジアの成長にもちょっとは助けられるだろう。でもこの国の抱えてる構造的な問題はより大きいから、長期的には少しずつこの国は沈んでいく。そしてみんな、この先に待ってるものをうすうすわかってるのに、知らない振りをして笑っている」

頬に、怒りのような陰が見えた。

前から顔を真っ赤にした中年のサラリーマンがおぼつかない足取りで歩いてきた。すれ違う時、一緒に歩いてきたＯＬに「俺に言わせりゃあよ、商品を売るんじゃやなくて自分自身を売るのが本物の営業マンなんだよ！　わかっちゃねぇ奴が多すぎんだよ」と大声で話すのが聞こえた。

そしてそういう発言をする自分が誇らしかったのか、言い終わった途端に、わはは……、と爆発的に笑い出した。ＯＬも酔っているようで、何か本当におかしいことがあったかのように、声を合わせて笑っている。

有賀がふと空を見上げた。視線が遠くなった。

「星も同じだよな。ここに見えている光のうち、すでに星そのものは消えてしまって、光だけが届いているものがあるだろう。この街の様子は、それに似てると思わないか。本当はすでに死んでしまっている星の、昔の光。今見えている華やかな銀座の夜の光景も、かつてのニッポンの輝きの名残り、残影みたいなものかもしれないな。……こういう夜の青い光の中にいると、何だか自分が思い出の中で生きているような気がするよ」

——ニッポンの、青いゴースト。思い出の青い光の中でだけ生き、笑いさざめいている人々。

そんな有賀の言葉が頭の中で響いた瞬間、修一は軽い眩暈《めまい》のようなものを感じた。青い光の中でゆらゆらと揺れているゴーストたち——。

自分も有賀も、その中の一人だ。

自分たちが見ているのは、昔の光であり、遠い失われた夢なのか。

「……どうした？　なんか文学的だな」

奇妙な恐ろしさを紛らわすように、修一は冗談めかして無理やり声を出した。

有賀は少年のような微笑みを浮かべて、修一に静かな眼差しを注いだ。

そして不意に左手を上げてタクシーを止めた。有賀は築地に住んでいて、車のほうが早い。

修一に向き直り、言った。

「お前ともう一度こうやって話せるとは思わなかった。ほんと、楽しかったよ」

タクシーのドアが開いた。

有賀はその脇で立ったまま、何かを話したそうな顔をした。

それはほんの一瞬だった。結局は何も言わず、もう一度手を上げ、微笑みの残像のようなものを残したままタクシーに乗り込んだ。相変わらず、風が一瞬に吹きすぎるような動きだった。

有賀はタクシーの中からもう一度手を振ると、車はそのまま夜の街に走り去った。

――今、あいつは、何か言おうとしていなかったか。

酔った頭でぼんやりとそう思いながら、有賀を見送った。

そして、有賀と話したいと思っていながら、一つ忘れていたことがあるのを急に思い出した。それもまたレナードの戦いに関することだ。

ハーンズ戦とは別の、伝説的な戦い——一九八七年のマービン・ハグラー戦。テレビで見ているものの心さえ燃やすようだった、凄まじい戦い。

有賀とはこの後、再び連絡を取り合わなくなる気がしていた。ハグラー戦のことを話す機会はもう失われたかもしれないと思った。あるいは、また長い時間の後、二人の間で何かが変化する可能性もあるのだろうか。

6

壁際のベッドライトに、白い流れのようなものが浮かび上がる。

その白い流れは、ゆるゆるとねじれ、波打ち、やがて烈しく震える。

その頃には久美は、喉の奥から、低い声を出し始めている。

普段の放送の現場とは、まったく違った声。それは声というより、動物の低い唸り声に似ている。

久美は自分のこうした声を知らない。

多分、普段の久美という人格は、もうそこには存在していない。

修一も、一言も声を発しない。

やがて白い流れは、うねりの度合いを大きくし、激流のように姿を変える。そして激しさの頂点で不意に消え、後には静かで優しい息遣いだけが残る。

「なんだか宮本さん、今日、いらだっているみたいな気がする」

隣の部屋の冷蔵庫から缶ビールを取り出して戻ってくると、そのまま眠ってしまったと思っていた久美が、すっぽりもぐったままの薄いシーツの下から声を出した。

修一はプルトップを起こし、そのまま二口、三口とビールを喉に流し込む。スチームが入った寝室は十分に暖かく、冷たいビールが心地よい。

修一の部屋は青山通りから少し奥に入ったマンションの九階で、窓からは赤坂御苑が見える。昼間は美しい緑が目を楽しませてくれるが、今は漆黒の闇だ。

テレビのリモコンのスイッチを押す。午後十一時からの経済ニュース番組が始まっていた。

画面で喋っている男性に見覚えがあった。五十代後半で痩身。シルバーグレイの髪をきれいなオールバックにしている。

菱光銀行のエコノミストで専務取締役でもある、加藤佳之《かとうよしゆき》だ。系列の菱光総研の理事長も兼ねている。

直接の面識はないが、修一は内心で加藤に少し憧れている。

銀行系のエコノミストでは珍しく、金融機関の経営などに関しても辛口の厳しいコメントをする。多くのエコノミストがマーケットの変化に対し、後付けのようなコメントしかできないのに対し、加藤は株価や景気の動向について明晰な予想を表明し、その多くが結果的に正しかった。このため、さまざまなメディアで頻繁に声がかかる。

——この人のように正確な発言を自由にできるエコノミストに、いつか自分はなれるのだろうか。

しかし、と修一は思う。予想の正確さは別として、辛口のコメントが可能なのは加藤がすでに専務取締役という確固とした地位を行内で築いているためかもしれない。

ならば自分もまずは社内での地位をしっかりと固めることが必要なのかもしれなかったが、現実はそのまったく逆の方向に動こうとしていた。

少し迷ってから、久美に冗談めかして口にした。

「……いよいよ、クビになるかもしれない」

「クビ?」

久美が驚いたようにシーツから顔を覗かせた。

「正確に言うと、言うこと聞かなきゃクビにするって言われてるんだ」

そう答え、またビールをあおった。

執行役員の桐山に呼び出されたのは、この日の朝のことだった。

「ご承知のように、銀行本体での証券業務が将来解禁されることをにらんで、来年の株主総会後に東邦銀行と業務分野の再度の見直しを考えています。その際に債券企画部の次長職を誰か調査課から出してくれないかと言われています。まだ大分時間はありますが、ご検討いただけないでしょうか」

桐山は芝公園の緑が見渡せる広い窓を背に、柔らかな声でそう言った。

債券企画部の次長——。さまざまな債券の販売計画を立て、損益について責任を負う。管理部門の中でそれなりに重要な部署ではあるが、アナリストを続けていきたい修一が受けたくない人事だということを桐山は知っているはずだ。

「……アナリストを辞めろってことですか」

唐突な発言の意図がわからなかった。

「あなたのこれまでのご経験を、調査や分析だけでなく、当社の収益拡大という、より重要なセクションで生かしていただく道もあるかと思っています」

「僕はずっとアナリストを続けたいという希望を出していたはずです。どうして、急にそんな話が出るんでしょうか」

桐山はそのまま少し黙った。修一の質問にはそのまま答えずにこう言った。

「国債発行のあり方について、少し議論しませんか」

しかし、その後に続いた言葉はあからさまな「取引」だった。


「どんな中身だったの？」

久美が胸を隠すようにシーツを押さえながら、上半身を起こした。長い髪がさらさらと裸の肩に流れる。

「議論っていう形はとってたけど、要するに財務省の、国債の発行方法の変更に協力しろっていうんだ。それは同時に東邦フィナンシャル・グループにとっても、都合のいいものなんだけどね」

「変更って？」

「長期金利にあまり影響を与えないように、期間の短い国債を増やすってこと」

久美はクビをかしげている。キャスターという仕事柄、ひと通りの経済知識は持っているが、即座には理解できないようだった。

「国債っていってもいろいろあるけど、今まで中心だったのは十年債で、発行量も一番多い。これが長期金利の指標で、十年債の利回りがイコール長期金利だってわけ。でもこれからさらに十年債を多く出すと、供給が増えて人気がなくなって、金利をより高くしなきゃ売れなくなる。要するに長期金利の上昇につながるんだ。長期金利の上昇は、銀行の企業への貸し出しとか住宅ローンとか、世の中のいろいろな金利に影響を与える。だから財務省はそれを防ぐために、今後国債を増発する時は、期間の短い二年物とかの比率を増やして、指標である十年物の金利が上昇しないようにするつもりなんだ」

「ふうん、でも、それっていいことじゃない？　協力してもいいような気がするけど」

　修一は残っていたビールを飲み干すと、久美の隣で横になった。胸の中に、鈍い怒りのようなものが湧き上がった。

「だけどそれは一時しのぎ、一種の麻薬みたいなもので、結局は国の財政をよけいに腐らせる。たとえて言うとさ、君が新しく住宅ローンを借りたいと思っていて、今は金利が低いけれどこれから上がる可能性が高いとしたら、三十年間利率が固定されているタイプのローンを選ぶか、一年ごとに利率を見直すタイプのローンを選ぶか、どっち？」

「そりゃあ、今の低い金利のまま長期間固定できたほうがいいな。……あ、そういうことか」

「そう。現状の金利が低くてこれから上がりそうな時は、なるべく、今の金利で長期間固定できるものを選ぶ、これってさ、本来は、金融のイロハなんだ。逆のことをすると、日本の財政はより大きなダメージを負う可能性が高い。しかも金融界は、自分たちの都合で財務省にそれを働きかけてる」

思わず口調が激しくなってしまい、久美は驚いたように修一に目を向けた。

有賀と会ってから十日が過ぎていた。

財務省の安西は金融界が求める短期債の発行増加について「僕が乗るかどうかは決めてないけどね」と話していたが、結局は短期債の比率を増発額のうち、これまでの六〇%程度から七五%程度に引き上げる方針を固めたようで、市場関係者への根回しに動き始めていた。

安西もそれが長期的に見れば国の財政にプラスにならないことはわかっているはずだった。しかし、彼が国債課の課長職にいるのは長くて二年だろう。その間、もし長期債を増発して長期金利が上昇し、保有国債の評価損で金融機関の経営が揺らいだり、せっかく底打ちしかけている景気に悪影響を及ぼしたりすれば、彼の経歴にはマイナスになる。ここはとりあえず短期債でしのいでおくほうが安全だと判断したのかもしれない。

「俺はこの前書いたリポートで、ほんのチラリとだけど、やはりそういう方針はおかしいんじゃないか、って書いた。今のカネ余りの状況だと、長期債を増やしたからといって、長期金利が大きく上がるとは思えず、小幅な揺れにとどまるだろう。それなら、長期的な財政の健全性のためには、金利の低いうちになるべく長期債で固めておくべきだってね。それがうちのグループの中でちょっと問題になってるわけ」


「議論をしませんか」と言った後で桐山は立ち上がり、修一に背を向けて窓の外を眺めながら話を続けた。

「東邦銀行の管理部門担当の専務である田代さんは、あなたのリポートを評価なさってて、毎回お読みになっています。しかし今回のリポートの中の、国債の発行年限の短期化がおかしいというくだりについて、本日お電話でご指摘を受けました。田代さんは、今の日本経済の状況を鑑みると、ほんの少しでも長期金利が上がるのは好ましくない、東邦銀行としては、十二月の財務省の国債市場懇談会でそういう発言をするつもりなのに、東邦証券という同じ東邦フィナンシャル・グループのアナリストが別の趣旨のリポートを書き、それが広く顧客に伝わるのは問題がある。もちろん将来的な財政負担を考えると、ここは長期債を増やしておいたほうがいいというあなたのご意見はわかるが、足元の日本経済が崩れてしまえばどうしようもないので、そのあたりをぜひあなたに伝えてほしいとのことでした」

国債市場懇談会というのは、財務省がさまざまな金融機関などから今後の国債発行について意見を聞く場で、主要な証券、銀行から債券部門担当の役員かチーフストラテジストやチーフアナリストが参加する。財務省はそこでの意見を参考にしながら、十二月末の概算要求で実際に翌年の国債発行の概要を固める。

修一自身も、十二月の懇談会には出席することになっている。

その場で東邦銀行が短期債の増発を正式に要望するということは、東邦フィナンシャル・グループ全体としてもその方向を支持するという意味で、おそらく修一にも同様の発言が期待されている。

しかし、その本音は当然ながら日本経済への心配だけではない。より心配しているのは、長期債が増やされて供給過剰になり価格が下落すれば、保有している国債に多くの含み損が発生することにある。それがわかっているから、修一は問題の核心に切り込んだ。

「いくら目先の長期債の発行を抑えようが、いずれ長期金利は上昇し、国債価格は下落するでしょう。時間の問題だと思います」

桐山は背を向けたまま少しの間、沈黙した。それから言った。

「そうかもしれません」

「それでも、僕に、短期債を増やすべきだというリポートを書けとおっしゃるんですか。どうしても必要なら、あなたの後輩である渋谷にでも書かせればいかがですか」

「彼では駄目なんです。あなたが、東邦証券のチーフアナリストですし、専務から、直接あなたを指名しての働きかけなんです。……おわかりでしょう。今期に長期債の価格下落で大幅な損失を出すわけにいかないんです」

最後に本音が出た。

窓の外、芝公園の向こうに、遠く海が見えた。

よく晴れていて、海は青く、きらきらと輝いていた。

「僕一人がそういうリポートを書いたからって、全体に影響を与えるほどの力はありません」

「そんなことはいいんですよ。とにかく私は専務から、『君のところの宮本のリポート、あれ、なんとかならんのか』と言われたんです」

胸の中にこみ上げたのは、怒りより、もの哀しさに似た感情だった。

半年後の株主総会で役員数の大幅削減が打ち出されることになっていて、ここ数カ月が桐山にとっての正念場だ。かつて東邦銀行の調査畑のホープと言われた彼も安泰ではないとの話が流れている。

「……桐山さん、アナリスト協会の倫理規定は当然ご存じですよね？」

桐山は答えない。修一は言葉を続ける。

「受任者としての信任義務の項目です。『会員は、証券分析業務を行うに当たっては、顧客その他信任関係にある者の最善の利益に資することのみに専念しなければならず、自己および第三者の利益を優先させてはならない』。要するにアナリストの仕事は自分の顧客に正しい情報を伝えることであって、自分や自分の属している会社に都合のいいようにそれをねじ曲げちゃあいけない、っていうことですよね。僕はアナリストになった時、この規定を読んで誇らしく思いました。自分の良心と判断にだけ従って働ける、独立性の高い仕事なんだと改めて思ったんです」

もちろん、いつもきれいごとが通用するわけではないことを、今では知っている。特に株式のアナリストの場合は、この独立性が失われやすい。

例えばNTTやJTなど、かつて国営だった巨大企業は頻繁に公募増資や政府持ち株の売却を繰り返す。そのたびに主幹事となった証券会社に莫大な手数料が転がり込む。

こうした企業を担当する株式アナリストの中には、自分の所属する会社が主幹事を取りやすいように、その企業については悪いリポートを書かない人間も数多くいる。損をするのは、リポートを信じて株を買った投資家だ。

しかし――、と修一は思う。

それでも多くのアナリストは、会社とのしがらみの中で悩み揺さぶられながらも、正しいと信じる内容を少しでもたくさんの投資家に伝えたいと思い、懸命に働いている。

――あなただって、そうだったんじゃないですか？

現役時代にはマクロ経済の分析でトップクラスの評価を維持してきた桐山に、心の中でそう呼びかけた。

桐山は振り向いた。冬の午後の明るい日差しの中で、シルエットだけが黒く切り取られている。逆光になっているせいか、表情が見えづらかった。

短い沈黙の後、修一は言った。

「これは証券業協会の正式な規定ですから、拘束力があります。上司だからと言って、顧客をミスリードするような内容を書けとアナリストに強制はできないはずです。今回のようなケースを協会に告発した場合、桐山さんもうちの会社も、証券業協会からペナルティを受けます」

「おかしな話はやめなさい」

桐山の声が強くなった。

「あなたに信念を曲げろと言ってるんじゃなく、命令もしていません。最初から言ってるでしょう。議論をしましょうと！　国債の発行の手法の違いによって、日本経済がどのような影響を受けるかを私は申し上げている。もちろん長期債の増発で価格が下がれば、うちのグループに限らず金融機関の多くが損益上は痛手を受ける。しかしそれよりも、病み上がりの日本経済全般に対するマイナスの影響が大きすぎる。そういう私の意見を、お伝えしているにすぎない」

桐山は沈黙し、世界から音が消えた。

修一も言葉を返さなかった。

窓の外で、海がまた遠く美しく光った。冬の空が、まばゆく輝いている。

ふと不思議な感覚がよぎった。自分は昔、もっと美しい空を見ていたことがあるような気がした。

「おわかりになりましたか」

桐山が言葉をかぶせる。

命令通りのリポートを書かなかったからといって不利な人事をすれば、当然ながら協会の規則違反になる。しかし、その人事はあくまで総合的な経営判断の結果であり、リポートの内容とは無関係と言われれば、事実上は検証や対抗のしようはない。

この会話を録音でもしておけば、と思ったが、今さらどうしようもなかった。

桐山は言葉を続けた。

「正直、あなたは優秀です。渋谷くんは忠実ですが、アナリストとしての力量は全然違います。近い将来はあなたに債券調査グループに限らず、調査部門全体の指揮をとってもらいたいと思っています」

唇が乾くのを感じた。

――桐山さんにはがっかりしました。

そう言い、部屋を出ていけばいい。そのまま辞めればいい。そう思いながら、足が動かなかった。

自分の視線が下がるのがわかった。

駿の輝くような笑顔が脳裏に浮かんでいる。

駿にはせめて、経済的な面だけでも十二分なことをしてやりたかった。

まだ八歳だ。これから塾や進学など、費用がどんどんかさんでいく。電機メーカーに勤めている別れた妻の収入だけでは限界がある。

数年前には何度か外資からヘッドハンティングの誘いがあり、迷いながらも結局は断った。収入は上がるものの、成績次第で簡単に切り落とされる風土に躊躇したからだ。ただ四十歳を越えてしまった今では、外資へのリクルートはもう難しいだろう。

あの時に、思い切って移っておけばよかったのだろうか。

もう一度、駿の笑顔が浮かんだ。

――パパと一緒に、エジプトのピラミッド、登りたいよ。

いつか一緒に食事をした時、顔いっぱいに笑みを浮かべて、駿はそう言っていた。

辞めてしまえば、駿をエジプトに連れていくことなどできなくなる。

その時、心が折れたのがわかった。

――何日か、マーケットの状況を見ながら考えさせてください。

そう言おうとして顔を上げた。それが事実上の服従の言葉であることを修一は知っている。

桐山は逆光の中で、黙ったまま黒いシルエットを保っている。後ろで空が美しくまばゆく輝いている。

――もっと美しい空。

桐山に返事をする前に、遠い記憶が、奔流のように脳裏に流れ出した。

二十数年前、純子を探しにいった高校の美術室で、何かに引き止められるように振り向いた。

イーゼルに立てかけられた一枚のキャンバス。

深い森の中で暖かな黒い土の上に寝そべって、空を見上げているような構図。黒い、しっかりした樹木の枝が四方から頭上に向かって伸びている。そしてまっすぐ上だけに視界が開け、青空が覗いている。

――息を呑むほど美しい、まばゆいような青空。

完成した作品をもらった直後に、純子の死が伝えられた。その後も十分に見返すことはなく、実家の押入れに仕舞い込んだままになっている。全部を忘れてしまいたいと思ったからだ。

　それでもあの青空の印象だけはいつまでも消えない。あの絵は、まだ残っているだろうか。

「宮本さん、僕はあなたにね……」

　桐山が再び話し始めた瞬間、ほとんど何も考えないまま、言葉が出てしまっていた。

「申し訳ないですが、自分がおかしいと思うリポートを書くつもりはありません」

　話を聞いていた久美が、体を起こしたまま、大きな音を立てて拍手した。押さえていたシーツが流れ落ちて白い胸が現れ、あっ、と声を出しながらあわててシーツを引き上げる。

「そしたら相手、桐山さんだっけ、なんて言ったの？　怒鳴ったり？」

「まぁ、君は経済全体を見渡す視野が十分じゃないとか、イギリスでは八〇年代に同じような状態になった時にどうしたこうしたとかいろいろ言ってたけど、最後は結局、さらにご検討ください、っていったんはお開きになった。……でも俺はもう、いったん言ってしまったらふっきれた。これからも変えるつもりはないよ」

「それで来年の七月に、債権企画部とかいうとこに異動させられちゃうわけ?」

「そうなったらそうなったで、もう構わない。ほんとはすっぱり辞めると格好いいんだけど、ほら、駿がまだ小さいんでね」

「修一さん、結構、かっこいいよ」

久美はきらりと光るように微笑み、そのまま修一に覆いかぶさってキスをした。久美の長い髪が今度は修一の肩にさらさらと流れ落ちてきた。

長いキスになった。

そのまま久美が、涙をこぼした。命がこぼれ落ちるように、温かい液体が次々と修一の頬を濡らした。

「……どうした?」

久美はようやく体を離し、修一の横に再び仰向けになった。枕もとのティッシュを一枚取り出すと、チン、と鼻をかんだ。それから、「あれ、私、何で泣くんだろ。おかしいな」と小さな声で言った。それから、「やっぱ、お子さんの力ってすごいよね」ともっと小さな声で言った。

「私、付き合ってる人がいるの、知ってたでしょ?」

修一はうなずいた。しかし久美がそれを直接言葉に出すのは初めてだ。

「銀行の人なんだけど、四年前に知り合った時から奥さんとお子さんがいてね、それでもその人と私、会った瞬間に、ああ、自分たち、付き合うようになるんだって思ったのよ。なんていうか、この人と自分は、まったく同じなんだ、って気がしたのね。その第一印象って、後になって、やっぱり正しかったんだってわかったわ。例えば一緒に街を歩いてて、なんの取っ掛かりもないのに、お互いに急に突然、京都の話をしたくなって、どちらかが話し始めると、相手もちょうど京都のことを話したくなってた、みたいな不思議なことがほんとにたくさんあってね。ものの考え方や好きな食べ物も、驚くくらいに似てた」

聞きながら、修一の心の中に哀しみが浮かび上がる。そんな言葉を、数年前に妻から聞かされた。

——あの人と私は、お互いに、初めからずっと探し合っていたの。

妻は交際相手に対して、そんな言い方をした。

久美は静かな声で話し続けている。

「……お互い、なんでもっと、早く出会えなかったんだろうと思ってたんだけど、付き合い始めてしばらくしてから、彼、もう少し子供が大きくなったら自分は奥さんと別れるから、結婚しようって言ってくれたの。でもそのままずっと時間だけたたっちゃって、私がせかすと、もう少しだけ、子供と一緒にいさせてくれ、って、それればっかりでね……。彼と会えるのは、せいぜい二週間に一回くらいのウィークデーで、それも夜中の一時か二時で終わり……。週末とかは絶対に会えないでしょ?」

久美はまっすぐ上を向いたままで、時おり枕もとのティッシュを取り、またチンと鼻をかんだ。

「そんな時、あの人、奥さんやお子さんと今楽しくしてるんだ、って思うと、なんか、心の中にどす黒いような気持ちがたまって、いやな人間になってく気がしてた。いやな言葉なんだけど、ほんとに、『どす黒い』っていう言葉でしか表せないような感情で心がいっぱいになっちゃうの。そういうことを感じ始めた頃かなぁ、宮本さんと会ったの。……離婚して一人で住んでるってことを聞く前から、なんていうか、この人もなんか、別の意味で自分に似てるなって思って」

修一はうなずいた。

自分たちは前に進むためではなく、今を埋めるために会い続けている。

「でも私、三十過ぎちゃったし、このままじゃきりがないし、どうなるんだろうって思うの。キャスターの仕事だって、このままだと歳取ると使ってもらえなくなる気がしてね。なんかこう、自分の人生に急に閉塞感が出てきた気がする。……でも、おかしいな。私、なんで泣いてるんだろ。なんか今、宮本さんも頑張ってるんだ、と思ったら、急に涙が出ちゃったのよ」

そう言いながら、もう一度、おかしいな、と言って笑った。

「でもさぁ、頑張ってね。宮本さん、きっと、幸せになれると思うよ。だって、いい人だもん」

最後の一言が、不意をつかれたように心に響き、涙が出そうになった。自分は思ったよりも弱っていたのかもしれないと思った。

「ストップ。結構、今、じんときちゃっただろ」

冗談めかして言うと、久美は寂しさを漂わせたまま、顔を修一に向けた。ほんの少し緑がかった、湖の色を思わせるような瞳。それだけが純子に似ている。

――久美が相手の男性に感じたという、不思議な一体感。

それとは少し違うが、自分も純子に対して、不思議な感覚を抱いたことを思い出した。もしかすると出会う前から、自分は彼女を好きだったのではないかと。

でも自分も久美も、そうした相手と結局は一緒にいられない。

せめて別れた妻は、もともと探し合っていたとまで感じる相手と、ずっと生きていければいい。

そんなことを自然に思った。

久美に腕枕をしてやりながら、修一は不意に眠気に襲われた。

眠りに落ちる瞬間、あの美しい青空と光をもう一度見た気がした。


有賀の携帯にメールを打ったのはその数日後、国債市場懇談会を翌週に控えた火曜日の午後だった。

恵比寿ガーデンプレイスに入っている外資系証券でのプレゼンを終え、敷地内にあるドイツ料理のレストランで、遅い昼食をオーダーしたばかりだった。

――この前の話、記事になるようなら検討してみてくれ。資料など何か必要なら用意する。

財務省クラブのキャップとして忙しいだろうと思っていたが、ほんの数分後、注文した食事がまだ運ばれてこないうちに携帯に電話がかかってきた。

「よぉ。メール見たよ。書いていいのか」

昔と変わらない、すこし高音のハスキーな声。

「ああ、いろいろ考えたんだけどさ、国債の発行のあり方っていうのはこれからの財政状況に重大な影響を与える問題だし、新聞が取り上げてくれるんならありがたいよ。しかし、あんな話、ほんとに記事として成り立つのか？　別に無理しないでいいぞ」

「金融機関が、自分のとこが持ってる国債で評価損を出さないために、国全体としてみればマイナスの政策を役所に働きかけてるっていう構図だろう？　結構面白いよ。もちろんストレートニュースって話じゃなくて、うちの経済面で、トピックの裏側を深掘りする『ニュース深層』っていうコラムがある。実は毎回ネタに困っててな。書かせてもらえると、逆に助かる」

冗談めかして言うので、修一は携帯を耳にあてたまま少し笑った。まもなく午後二時で、レストランは昼食客が姿を消し、がらんどうのようになりつつある。

「――でもお前、大丈夫か」

携帯の向こうで有賀はそう聞いた。

「もちろん記事は複数の関係者から聞いたっていう形で作る。だけどタイミングがタイミングだろう。財務省の安西にも、東邦フィナンシャル・グループ内部でも、お前がネタ元の一人じゃないかって、当然疑われる可能性があるぞ」

ウェイターが、注文したアイスバインを運んできた。テーブルの真ん中あたりに目をやり、ここに置きますよ、と聞くような表情を見せたので、携帯を耳にあてたままうなずいてみせた。

一瞬だけ、また駿の輝くような笑顔がよぎったが、もう気持ちは決まっている。

「いいよ。問題ない」

そう言いきると、携帯の向こうで、数秒の沈黙があった。

それから、有賀は快活な声で「試合開始って感じだな」と言った。

「……自分はジュニアウェルターなのに、相手はヘビー級だけどな」

そう答えると、向こうで短い笑い声が聞こえた。それから口調が静かになった。

「俺たちは、いつも一人で相手と殴り合ってた。でもな、人生はボクシングじゃないからな。なるべく孤立しないで、助けてくれる奴を探しながら、一緒に闘ってけ」

「心配してくれてんのか」

彼は、まるで機会を待っていたかのように言葉を続けた。

「銀座で会った時、お前にはっきり謝れなかった。――純子のこと、お前に何も言わなかったせいで、お前を長い間、苦しめちまった。この前、よほど全部を話そうかと思ってたんだが、結局できなかった」

「――いいよ」

話が思わぬ方向にいってしまったのに戸惑いながら、短くそう答える。正直、その話はもう蒸し返されたくなかった。目の前でアイスバインが冷めかけている。

有賀は雰囲気をさとったのか、また少し沈黙した。それから、言葉を押し出すようにしてこう言った。

「とにかく、お前とは長く会えなかったけど、俺はずっと、お前の、――仲間のつもりでいる。忘れんな」

「仲間」という言葉の前で一瞬言葉が切れた。別の言葉を使いたかったのかもしれないと思った。お互いに、「親友」という言葉をもう一度使えるようになることを、どこかで諦めてしまっている。

「……記事、楽しみにしてるよ」

わずかな気まずさを振り払うようにそう言い、修一は電話を切った。

この時、有賀に会わずに電話ですませたのは、お互いの忙しさがわかっていただけではなかった。まるで過去に何もなかったように頻繁に会うようになることに対して、気持ちの中で抵抗があったからだ。

それができるようになるには、まだはるかに長い時間が必要なのだろうと思った。

「補正予算での増額分を含めた今年度の国債発行の内訳は資料2の通りです。皆様のご意見をうかがいたく思います。二年債は十七兆八千億円、三年債一兆二千億円、五年債二十二兆七千億円……」

国債課の課長補佐が数字を読み上げ始めている。

十二月十二日、財務省五階の大会議室。テニスコートくらいの広さの部屋に並んだロの字型のメインテーブルに、さまざまな金融機関の人間が五十人近く並んでいる。月に一度のペースで開かれる国債市場懇談会だ。

いつも修一が座っている席には、執行役員の桐山がいた。修一は壁際に並べられた椅子に座り、単なる傍聴者のような形で聞いている。

桐山は修一に対し、短期債発行へのシフトをリポートで積極的に取り上げさせることは断念したようだった。しかし、この懇談会では東邦銀行の意見と異なる趣旨の発言だけはしないように、ときつく指示した。

顧客への対応なら断るが、懇談会はあくまで財務省に対する東邦フィナンシャル・グループとしての意見表明をする場だ。釈然としないものを感じながらも、「懇談会での発言はあなた個人の主張をする場ではなく、社としての統一見解を表明する場です」と言われると仕方がない気がした。

それでも桐山は不安だったのか、数日前になって「今回は私が代表者として出席します」と言い出し、メインテーブルに座った。

もともと国債市場懇談会に各社の役員が出席するのは珍しいことではない。金融機関によっても異なるが、修一のような現場のストラテジストやアナリストと、債券部門を統括する取締役の割合は普段でもほぼ半々くらいだろうか。

しかし東邦証券の場合はこれまで出席者はずっと修一だったので、やはり桐山の申し出は唐突と言える。

他の金融機関でも同様の状況があったのか、今回は現場のアナリストに代わって役員クラスが出席しているケースが普段より多い。

ショックだったのは、菱光銀行の出席者として、修一と同様に発行期間の長期化を訴えている数少ないアナリストの代わりに、専務取締役の加藤佳之が座っていることだった。普段から金融業界に対する辛口で明晰なコメントで知られる加藤も、やはりこうした局面では自行の利益を主張しにこざるを得ないのか。憧れていたエコノミストだっただけに、かすかな幻滅を感じた。

課長補佐の説明を聞きながら、修一は資料の数字にざっと目を通した。やはり安西の原案通り、短期債が七五％を占めている。長期債の価格下落と金利上昇のリスクを可能な限り抑えるために、長期債の発行の割合を極力小さくする腹づもりらしかった。

ふと視線を上げると、五階の会議室の窓から見える冬の空は、今にも雨が降り出しそうに重く沈んでいる。

「では皆さんのご意見をお願いいたします」

補佐の説明が終わると、安西が出席者を見渡して発言を促した。

「……その前に、いいですか」

昨年に関東地盤と関西地盤の銀行同士で経営統合したソフィア銀行の名札をつけた人間が小さく手を上げた。ソフィア銀行も顔なじみの債券アナリストに代わって、今日は上司である役員が出席している。

「今日の大都新聞の記事ですが、あんな内容を書かれちゃあ、世の中に誤解を与える。まるで私らが、自分の利益のためにだけ動いているような印象を持たれます。どうして、あんな記事が出てしまうんですかねえ」

名指しで批判されたのは有賀の記事だ。

今日の懇談会にタイミングを合わせて、有賀は「ニュース深層」という署名入りの解説コラムを書いていた。経済面の右三分の一くらいを占める、比較的大きなスペースだ。

タイトルは「評価損の発生嫌う金融機関　国債増発めぐり水面下で圧力？」。

コラムはこんな形で始まっていた。


「金融機関は、自分たちの利益のために国債発行のあり方をねじ曲げるつもりなんでしょうか」。ある財務省幹部は、苦々しい表情でこんな話をする。「自分たちが持っている国債の価格が下がらない形での発行計画でないと、受け入れられないと言うんです。しかしその要求に従うと、長期的には国の財政状態はさらに悪化する可能性があります」

今や国と地方を合わせた借金の額は、GDP（国内総生産）の二倍近くにも達している。欧米など他の先進国は軒並み五〇――八〇％以下であり、「日本は財政的には破綻の一歩手前とみられてもおかしくない」（外資系投資銀行の幹部）という。借金の多くを占めるのが国債であり、来年度予算では歳入に占める国債発行額が税収を上回るとの予想が増えている。

この国債の増発をめぐり、水面下で激しい駆け引きが始まった。巨額の国債を保有している国内金融機関の多くが、長期金利への影響が少ない短期国債へのシフトを財務省に強力に働きかけているという。しかし短期債の増発を行うと短期間での借り換えが必要になり、その際には今のような史上最低の金利では発行できないのではないかとの見方が強く……。

記事はこの後、金利と国債の価格が逆に動くという仕組みや、短期債の増発がなぜ長期的には財政悪化を助長する可能性が高いかという理由を、一般読者にもわかりやすいようにコンパクトにまとめている。

記事の後半は一九八〇年代のアメリカの例を引き合いに出しながら、最後は金融機関の行動について批判的なコメントで結ばれていた。

……ちなみに現在の日本のように財政赤字に苦しんでいた一九八〇年代のレーガン、ブッシュ政権下での米国では、国債の平均発行期間の長期化が実施されている。当時の米国でも長期化は目先の発行コストの面からは不評だったが、長期的な財政の安定という目的のためにこの手法が選ばれた。

現在の日本の財政の逼迫《ひっぱく》度は、当時の米国をはるかに上回る。「経済の低迷の中では目先の長期金利を上げられない」という美名の下で、実際には金融機関の評価損を避けるために長期国債の発行が抑制されるとしたら、国債管理政策は一体誰のためのものなのだろうか。

（経済部　有賀新太郎）

「……ほんとですよ。記事には財務省幹部のコメントが載っていますが、どなたかが実際にそうおっしゃってるんでしょうか」

ソフィア銀行役員の発言にかぶせるように、東邦銀行の田代専務がそう言葉を続けた。同じ東邦フィナンシャル・グループの一員でもあり、修一も顔は知っているが、親しく話したことはない。

安西が憮然とした表情で言葉を返す。

「我々も記事を見て驚いた次第です。私も、もちろんほかの国債課の人間も、こうした内容の発言は一切行っておりません。記者がどのような取材でこうした記事を書いたのか、まったく不明です」

修一自身、有賀が自分で財務省の人間を別途取材したのか、それとも修一から聞いた話をもとにこうした記事を作ったのか経緯は知らない。しかし冷静な筆致で客観的な数字を用いながら疑問を呈していて、説得力のあるいい記事だと思った。

ソフィア銀行の役員の発言があった時、桐山も安西も、修一にはまったく目を向けなかった。内心、修一をネタ元だと疑っている可能性もあるが、問い詰めても意味はないと思っているのだろう。

「いいですか」

手を挙げたのは桐山だった。安西の指名を受けてすぐに喋り出す。

「今の日本経済は、一部の部品が故障しただけで全体が崩壊してしまうような際どい綱渡りの状態にあると思うんですね。中でも長期金利、これが少しでも上昇したら、せっかく必死のリストラを行っている多くの企業に対して、後ろからガケの下に突き落とすような結果になりかねない。やはり、そういう意味では長期債の増発というのは慎重であってほしいと思うんですね」

「僕もそういう意味では同感です」

再びソフィア銀行の役員が喋り始めた。

「……だいたい、こういう記事でもそうですが、世の中には安易な批判が多すぎますね。債券の金利っていうのは特殊な状態を除いて、期間が短いほど水準が低くて、長期になればなるほど上昇するっていうのがイロハのイでしょう。財政負担を考えたって、低い金利で発行できる短期債でつないでいったほうがいいのはわかりきってる。そういう視点を抜かして、いかにも長期債が優れているといったような一面的な議論がなされるっていうのが、僕は不満です」

メモをとりながら、修一はじりじりとまた、何かに炙られてでもいるかのような苛立ちを感じた。

——確かに通常は期間の短い債券のほうが金利が低い。しかし、問題は短期債の場合にはすぐに借り換えの時期が到来することだ。今のように財政が実質的に破綻している状態では、借り換えの時期になった時に再び低い金利で発行できるとは限らない。だからこそ自分は、今の時期に長期債を出すことで、比較的低い金利の状態で長期間固定すべきだと言っている。どこが一面的な議論なのか。

そう発言したかった。

しかし今日はとにかく、最初から最後まで黙っているより仕方がない。

メモを取るペンの筆圧が、苛立ちで強くなるのがわかった。

その後で別の大手金融グループのアナリストとストラテジストが二人続けて東邦銀行を支持する発言をした。この二人は修一よりわずかに年下で、普段から短期債増発を支持するリポートを書き続けている。自分で本心からそう信じているのか、所属している金融機関の経営を慮《おもんばか》ってのことなのか、そのあたりはよくわからない。

　窓の外は強い雨が降り出していて、まだ午後三時なのに空はまるで夕暮れを思わせる暗さだった。会議場にはまだ照明がつけられていなくて、お互いの表情もよくつかめなくなっている。

　あらかじめ予想されたことではあったが、議論の流れは、修一の意見とは逆に動いていた。

　議論を聞きながら、苛立ちとは別に、頭のすみにどこか冷えた感覚が生まれていた。

　出席者の誰もが会社の利益を代弁し、将来は国民の負担が増えてしまうかもしれない政策に目をつぶろうとしている。ならば東邦フィナンシャル・グループの中での地位を危うくしてまで、自分は何を突っ張ろうとしているのだろうか。

　しかも未来が見えるわけではない以上、これが絶対に正しい答えだ、と断言することは誰にもできない。

　彼らの本音が、保有している国債の評価損発生の回避にあるのは事実だ。しかし確かに長期債を増発することで長期金利が上昇して経済を失速させてしまうリスクはあるし、さっき誰かが言ったように、このまま短期債中心に借り換えを続けることが結果的に発行コストを抑えることにつながる可能性だってゼロではない。

要は経済の先行きをどう見るかにかかっている。

そういういわば不確かな状況の中で、意地を張り続けるのは果たして正しい選択なのだろうか。

その時だった。

「……僕は皆さんのご意見とは違うんですよ。さっきの記事にもあるように、長期債の発行を増やすっていうのは、十分検討に値するんじゃないですか」

そんな言葉が耳に入った。

長期債の比率の拡大――。

自分と同じ意見を誰かが喋っている。

修一は発言者を見た。菱光銀行の調査部門担当の専務取締役、加藤佳之だった。

「確かに目先の長期金利のことを考えたら、今の長期債発行には多少のリスクがあります。でも僕が心配してるのはその後なんですよ。十年物国債で一%を切るような今の金利が続くなんていうのは絶対に異常で、遅かれ早かれ金利は上がります。今、無理に長期金利を抑え込むと、いずれ金利の上昇局面がきた時、反動は逆に大きくなるんじゃないですか」

メディアへの影響力の大きい加藤の発言だけに、東邦銀行の田代専務があわてて反論した。

「ちょっと待ってくださいよ。ご承知の通り、我々金融機関は金融庁の方針もあって今期は絶対に業務純益で黒字を達成しなくちゃなりません。そんな中で若干でも長期金利が上がって国債に評価損が発生するリスクがあるなら、どこも新発ものの引き受けに躊躇するでしょう。それどころか、保有分の売り急ぎすら起こりかねないですよ。もうちょっと慎重なご議論をお願いしたい」

不意をつかれたのか、要は評価損の発生が嫌なのだ、という本音が正直に出ている。

加藤は田代に向かって反論した。

「まず第一に、日銀が市場に対して膨大な資金を供給し続けている状態の中で、我々金融機関の国債引受余力は大変大きなものがあります。要するに、長期債を今の状況で多少増やしたって、ニーズが多いんだから金利をそんなに上げなくてもどんどん売れますよ。長期金利上昇につながるインパクトは大きくないと思います。逆に長期債の量を抑え込むと、短期的には人類の歴史上最低と言われている長期金利をさらに下げてしまう可能性がある。でも、そんな状態が続くわけではない。そしていつか必ず金利は反転します。どんどんどんどん、リスクだけを肥大化させていいんですか」

加藤が長期債増発に反対するために出席したと思ったのは間違いだった。彼は修一と同じ意見を持っていて、それを直接打ち出すためにこの会議に出てきたようだった。

田代は渋い表情になり、沈黙した。

いつか必ず金利は上昇し、国債価格は暴落する。

誰しもが心の中でそれを確信し、恐れていることだけに、加藤の言葉は力を持っていた。

「——僕らはちょっと、危ないゲームをやりすぎてるんじゃないですか。国債だけに資金が向かい、今や国債価格は超高値です。金利と価格は逆に動きますから、この先さらに金利を抑え込めば国債価格はさらに上がり、流れが逆に動いた時のリスクはいっそう膨れ上がります」

「加藤さん、あなたのところは確かに財務体質がいいけど、それでも、国債の保有量は四十兆円近いでしょう。評価損が出たら利益が吹っ飛ぶ。いいんですか」

田代が口元をゆがめてそう聞いた。菱光は早くから不良債権処理に取り組み、処理損失を出しながらも、その期にいち早く業務純益で若干の黒字に転換しようとしていた。

加藤は淡々と答えた。

「それは僕たち金融機関の都合でしょう。ここは国全体として国債発行のあるべき姿を話し合う場でもあります。僕はあくまで、自分の信じるところを申し上げている」

国債市場懇談会はメディアの傍聴は許されていないが、毎回の会合の要旨は財務省のホームページで公表され、その結果は補正予算だけでなく、来年度の国債発行計画にも影響を及ぼす。だからこそ、自分の信念に基づいて話したい。彼の表情から、そんな決意が見えた。

加藤は一瞬言葉を区切った後で話し続けた。

「さっきの大都新聞の記事、僕はこの通りだと思うな。問題はまさに、この有賀って記者がここで書いてることにつきます。国債管理政策は、一体誰のためのものなのかってことですよ」

有賀。

その名前を聞いた時、胸の中で何かがビクン、と跳ねた。

どうしてだか、彼がボクシングをしている時の懐かしい光景が脳裏をよぎった。

高校ランキングの全国上位の相手と闘っていても、決して逃げず、恐れもせずに、真っすぐにパンチを出し続けていた。

——あの頃。

リングの中で自分たちは何を思っていたか。

ただ、力のすべてを出し尽くすまで、倒れずに闘い続ける。

それだけを願っていたはずではなかったのか。

何かがまぶしいように目を細めて笑う有賀の表情が、突然目に浮かんだ。

——あいつは今でも、心が折れないまま闘い続けているのではないだろうか。

どうしてだか、そんなことを思った。

胸の中で跳ねているものが、さらに激しく動き出した。

「……ほかにご発言は」

安西はそう促した。修一は壁際の椅子に座ったまま、「ちょっと、いいでしょうか？」と声を上げた。

懇談会の空気がわずかに揺れたような雰囲気があった。修一の主張はすでにリポートなどを通じて知られている。だからこそ自分が傍聴席に座らされているということを、出席者の多くも理解している。

桐山が振り返り、声を潜めて押さえつけるように言った。

「あなたは、今日は意見を言う立場ではない」

修一はそのまま安西を見た。黙殺されるかと思ったが、安西の態度は意外なものだった。

——あぁ、宮本さん、ご意見ですか。どうぞ。

安西は緊張した雰囲気をまったく感じていないような明るい声で、そう言った。会場がほんの少しだが、ざわざわと波打った。自分自身も、安西が発言を促すのは意外だった。

しかし、そのまま大きな声で発言した。

「僕も長期債の比率を下げることには反対です」

出席者の視線が注がれている。東邦フィナンシャル・グループの一員である自分が、東邦銀行の田代とまるっきり逆の趣旨の話をしているからだ。

田代は、奥歯を抜かれた直後のように顔をしかめていた。桐山から、修一には発言は控えさせると、あるいは連絡を受けていたのかもしれない。

「十年債だけでなく、期間が二十年、三十年、四十年という超長期債も、例えば大手生保は求めています。彼らは保険の加入者の資金を長期間預かって運用するわけですから、こうした長い期間の国債に対するニーズは十分にあるはずです。こういう状況の中では長期債の増加による金利へのインパクトは大きくはないと思います。……何よりこのまま平均発行期間の短期化を進めると……」

話し始めた時、懐かしい高揚感があった。

レフェリーが試合開始の合図をすると、闘う相手とお互いにグラブをわずかに合わせ、少し距離を取って向かい合う。その瞬間、リングに上がる前に感じていた緊張や恐怖、会場の歓声までもが消えたように思い、自分のすべてが、何か純粋なものに変化する。その時の張り詰めた気持ちのいい感覚を、ずいぶん長い間忘れていたような気がした。

7

「宮本さん、内線の二番、お電話です」

電話の音声モニターから、アシスタントのユキの声が聞こえた。

懇談会の翌年の八月。汐留の再開発ビル十八階、欧州系の投資銀行であるＵＫＢ証券のオフィスに修一はいた。

四月に東邦フィナンシャル・グループを辞め、ＵＫＢのチーフストラテジストとして働き始めていた。引き続き仕事のメインは金利動向の分析だが、今度は四人のマクロ経済分析チームのリーダーとして、経済政策が景気や株価に及ぼす影響の分析など、カバー範囲は広がっている。

隣接した大部屋の様子をそのまま見通せるように、小さなブース状の個室は天井までガラスで仕切られている。ＵＫＢでは上級アナリストか、マーケット全体に目を配るストラテジストになると、全員がこうしたブースを持てる。専属のアシスタントとのやり取りも、普通は内線電話で行う。

レポートの執筆が遅れていたので、メディアの取材であれば断りたかった。誰からの電話なのか必ず最初に教えてくれと頼んでいるのに、ユキはたびたびそれを忘れてしまう。アメリカの大学を出て帰国したばかりの新人で、修一の転職にあわせて急いで採用したせいか、事務処理はあまり有能ではない。

しかし語学力は抜群で、レポートの英訳のスピードは非常に速く、聞き取りにくい英語を使う外国人顧客に対しては通訳代わりにもなってくれる。英語にまだ不慣れな修一にとって、彼女がいなければ仕事に障害が出るのも事実だ。

ガラス越しに大部屋に目をやると、ユキはミスに気付いたらしくあわてて自分の席で立ち上がり、親指を立ててみせた。

――ボス。

東京支店長のステファンからの内線だという知らせだ。

受話器から早口のクイーンズイングリッシュが流れてきた。ステファンはオックスフォードのMBAを持っていて、スウェーデン人なのに、イギリス人よりもよほどきれいな英語を話す。修一も彼の言葉ならあらかた聞き取ることができ、ありがたかった。

ステファンの電話は次の日から二日間の大阪出張のことだった。彼は大手電機メーカーの財務担当役員へのプレゼンを追加してほしいとまくしたて、ろくに返事も聞かないまま電話を切った。

トップセールスで業績を上げ、早くこんな極東の地から抜け出したいんだと、普段から公言している人間だ。確かに精力的な働きぶりで自ら仕事を獲得してくるが、おかげで出張中の最後の空き時間がこれで埋められ、一日四件ずつ、続けざまのプレゼンを強いられることになる。

外資系企業が実力だけで評価される社会だというイメージは必ずしも正しくない。成績を上げることはもちろん必要だが、直属のボスに気に入られるかどうかが評価を大きく左右する。それは日本企業以上かもしれない。

ステファンは普段から極端な量の顧客対応を要求する人間で、この点に関して指示に逆らうことは一切許されない。このため経済分析にあてられる時間が十分に取れないのが悩みだった。年収は東邦フィナンシャル・グループ時代より二倍近くに増えたが、睡眠時間は五時間程度に減っている。

移籍の話が起きたのは、それまでのチーフストラテジストだったイギリス人が、本国で別の金融機関に声をかけられ、アシスタントごといなくなったからだ。外資が日本での業務を次々に縮小しているなか、予想外のオファーだった。

三月に発表された東亜経済新聞のランキングで、修一の順位は二つ上昇して三位になっていたので、それが指名の大きな理由だったようだ。

ランキングの発表時期、長期金利はさらに低下を続け、異常な水準まで下がっていた。そうした動向を的確に見通せたわけではなかったので、順位の上昇は意外だった。

ただアナリストへの評価は、必ずしも結論の当たりはずれだけで下されるわけではない。重要なのは、提示するさまざまな情報や考え方のプロセスに、顧客が債券投資をするために有益なものがあったかどうかだ。そういう意味で今回の順位の上昇は、結論を当てた時に比べても余計に嬉しいことだった。

財務省の国債課は組織改正で企画課と業務課に分かれたが、安西は企画課長として留任していた。彼にはUKBに移籍後も頻繁に取材を続けている。今も取材に訪れるたびにせわしなく早足で歩いてきながら、「あぁ、宮本さん、元気?」と町工場のおやじのような気さくさで笑顔を浮かべる。

国際市場懇談会の後、安西は短期債の比率を原案の七五%からやや落とし、七〇

%にした。菱光銀行の加藤を始め、長期債を支持する声が幾つか出たことにやや配慮したようにも見えるが、それでも前の期の六五%よりは高く、玉虫色の微妙な決着だった。

案外初めから、安西自身も内心は長期的な判断から短期債を増やしすぎるということには反対で、このあたりを落としどころとして用意していたような気もする。自分のリポートや発言は、むしろ彼にとって、他の金融機関からの圧力の中和剤になったのかもしれない。安西の腹の底は相変わらず読めないが、少なくとも自分の思いに正直に行動したことを、今でも後悔はしていない。

その日は四~六月期のGDP速報値の発表日だった。

市場の予測を上回る伸びを受けて、夕方の東京市場では円が買われていた。オフィスでは誰もがあわただしく電話をしたりキーボードを叩いたりしている。

国際市場懇談会の翌年、一%を割り込んだ長期金利は、数カ月の間に、一時は一・五%近い水準にまで上がった。アメリカ景気の好調さが、ようやく国内にも波及し始めたせいだった。金利の上昇は債券価格の下落と裏腹なので、国債を膨大に保有したままの多くの金融機関では大きな評価損が発生した。

東邦時代の修一のリポートに沿って早くから国債のポジションを減らしていた幾つかの金融機関からは、ようやく感謝の声をかけてもらえるようになっている。

「内線の四番、有賀さんという方ですけど……」

ステファンの電話から十分もたたないうちに、モニターから再びユキの声が流れた。今度はきちんと名前を言ったな、と思いながら、有賀という名前に少し驚いた。転職した直後にそれを知らせるメールを打つと、短い返事が帰ってきていた。しかしその後は連絡を取っておらず、オフィスに電話をしてくるのが意外だった。

「有賀の妻で、優子と申します」

受話器から流れてきた声は、しかし女性のものだった。彼女は仕事中の電話をわび、しばらく電話で話をしてもいいかと尋ねた。声は随分若そうだったが、柔らかな話し振りから、頭のいい優しい女性であるように思った。

最初から、不安のようなものを感じていた。なぜ奥さんが、自分に電話をかけてくるのか。

「有賀の病気のことはご存じでしょうか」

「病気？　何のことでしょうか」と聞き返すと、小さな沈黙があった。それから、とても静かな声で、有賀の妻は言葉を続けた。

「……肝臓のガンで二カ月前から入院していたんですが、ここ二日間はもう、話もできないような状態なんです」

彼女によると、彼は修一と再会した頃には、すでにガンが発見されていたのだという。ロンドンから急遽帰国したのも、そのためだった。

有賀は肝臓の三分の二を切除する手術を受け、二カ月近くの入院の後、職場復帰した。修一と再会したのは、手術後数カ月がたった時期だったことになる。

「……その後は半年近く再検査でも異常が見つからなくて、一時はこれで大丈夫かと思ったんです」

有賀の妻はそう声を落とした。

しかしガンは、再発した。今年春の検査でそれが発見され、しかもリンパ節と脊髄に転移してしまっていた。再度手術をしても回復の可能性は小さいと医師から聞き、有賀の妻は、正直にそれを告げた。「もし助からないことがわかったとしたら、自分の残り時間を正確に知って、大切に生きたい」というのが普段からの有賀の希望だったからだ。

有賀は上司に対し、状況を打ち明けた上で財研のキャップの仕事を可能な限り続けさせてくれと頼み、受け入れられていたのだそうだ。

病気の進行を遅らせるだけの意味しかない化学療法を受けながら仕事をしていたが、六月の朝、出勤しようとした時に倒れ、そのまま入院した。

修一は、自分が何を告げられているのか、冷静に判断できなかった。

——まさか、有賀が、死ぬってことなのか？　嘘だろう。

よくコメントを求めてきていた川村が経済産業省のクラブに異動したこともあって、大都新聞との付き合いは薄くなっていた。有賀が二カ月も前から入院していたことを、まったく知らなかった。しばらく署名記事を見なかったが、管理職としての仕事が忙しくなったのだろうと思っていた。

「……今は本人の希望で延命治療は一切せず、モルヒネで痛みを抑える治療だけを続けています。意識が戻ったかと思うと、またすぐに昏睡状態になってしまうような状況なんです」

受話器の向こうでは、有賀の妻の声が、時おり震えながらも続いていた。

「昨日、ほぼ二日ぶりに少し意識が戻りまして、自宅の机の引き出しに、ＵＫＢの宮本さんという方にあてた封筒があり、中に手紙が入っている。宮本さんにそれを渡してほしい、と言われたんです」

本当は直接持っていきたいが、病院を離れられない、郵便で送るので住所を教えてくれ、と彼女は言った。

受話器を握ったまま顔を上げると、大きな窓の外には、光るようなまぶしい青空が見える。

銀座で一緒に飲んだ後、なぜもう一度会おうとしなかったのか。受話器に向かって住所を読み上げながら、心がちぎれるような悔いがこみ上げてきた。

すぐに有賀を見舞いたかった。しかしこの日はGDP発表に関連したプレゼンを二つ続けてこなし、その後でリポートを二本書いて顧客に流さなければならなかった。病院の面会時間には到底行けない。しかも次の日から二日間は、大阪出張が入ってしまっている。

「近く、必ず病院にうかがわせてください」

そういうと、彼女は電話口の向こうで嬉しそうな声を出した。

「有賀は、宮本さんというのは自分の親友だと言っていました。きていただいた時に目を覚ましているかどうかわかりませんが、きっと、それでも喜ぶと思います」

——親友。

「親友だった」という過去形ではなく、「親友だ」と言っていたのか。

さまざまな思いが早い流れのように渦巻き、流れていった。

大阪出張から戻った二日後の夜、修一が自宅に着いたのは夜の十一時だった。すでに有賀からの手紙が郵便受けに届いていた。封筒には厚みがあり、中にかなりの枚数の便箋が入っていることがわかった。

雨の降る、蒸し暑い日だった。汗がシャツに染み込んでいて、気持ちが悪い。しかし、シャワーを浴びる時間が惜しかった。そのままリビングの椅子に腰掛けて、ネクタイだけ緩めるとあわただしく封を切った。A４サイズの紙十数枚に、文字がプリントアウトされている。

「読み終えた後のこの手紙の処分はまかせる。破り捨ててもいいし、そのまま持っていてくれていてもいい。ただ、保管する場合は、お前以外の人間の目に触れることがないよう、注意してほしい」

そんな言葉が、一枚目の右の欄外に黒いインクの肉筆で書き添えられていた。パソコンで文章を作った後、最後にこの部分だけを手で走り書きしたらしかった。

――有賀。今どき、手紙かよ。何か話しておきたいことがあったなら、あの時、バーでもできたはずだろう。それとも俺が、聞きたくないそぶりを見せたせいなのか。

何にぶつければいいかわからない苛立ちが、胸にこみ上げた。

修一へ

六月の終わり、家族が寝静まった梅雨の夜に俺はこれを書いている。

この手紙を読んでいる時点ではお前ももう俺の病気のことを知っているだろうと思うし、あるいは俺はもう死んでいるのかもしれない。とにかく俺は末期の肝臓ガンで、あとどれくらい生きられるかわからない。

どのみち助からないとすれば、また手術で腹を裂かれるのはごめんだ。化学療法と放射線療法でごまかしながら、続けられるだけ記者を続けようと思っている。

お前と銀座のバーで飲んでからもう半年がたっている。あれは、本当に楽しい夜だった。高校時代、あれほどお前を苦しめてしまったからには、一緒に酒を飲める日がくるなんて、二度とないだろうと思っていた。

でも、俺はお前と、もう一度会いたかった。ガンに冒されたことがわかって、自分はまもなくこの世界から消えてしまうのかもしれないと考え始めた時、その思いは一層強まった。

だから、財務省での俺たちの再会は必ずしも偶然ではない。

帰国して担当クラブの希望を聞かれた時、迷わずに財務省を希望したのは、第一にはこの国を蝕むブラックホールのようなものの中枢について、最期に書き尽くしていきたかったからだ。そしてもう一つは、あそこにいれば、もしかするとお前に会えるかもしれないという期待があったからだ。

お前が債券アナリストとして活躍していることはロンドン時代から知っていたし、当然、財務省には頻繁に出入りしているだろうと思った。そして、半年かかったが、それは実現した。

あの時お前から酒に誘われて、俺がどれくらい嬉しかったか、わかってもらえるだろうか。あのバーで、お前は俺を許してはいなかったが、どこかで許そうとしてくれているようにも見えた。そしてボクシングの話までできた。

お互いが別々の場所で見たレナードの試合のことを、いつかお前と語り合いたいと思っていたのだが、そんな願いまでがかなった。人生の最期に、何かの力が、俺にプレゼントのようなものを与えてくれた気がしたよ。

でも、あの夜に、結局お前に伝え切れなかったことがある。お前が聞くことを嫌がったせいもあるが、もし聞かれてもすべてを話せたかどうかはわからない。それを今から書こうと思う。

こうするのがいいのかどうか、随分迷った。書いてしまった後も、お前に実際に手紙を渡すかどうか、再び迷うのではないかと思う。

ここで書くのは、あの夏のことだ。純子はあの時のことを、お前にはすべて黙っていてほしいと言った。だからこそ、あの夏も、その後も、俺はお前に何も言わないままだった。

何も言わないことがお前を苦しめていることはわかっていた。何度も、話してしまおうかと迷った。しかしそのたびに、純子の顔が浮かんだ。死んでしまった純子に対する約束は破れないと思った。

理由の二番目は、真実を知らせることは、お前に新たな心の負担や後悔を感じさせることになると思われたことだった。そして結局、俺は黙り通してしまった。自分の選択が正しかったのか、今でもわからない。

気持ちが変わったのは、自分の死がはっきりと近づいてきてからだ。自分が死んでしまったら、あの時の真実はどこかに永遠に消えてしまうのだろうと思った。あるいは、それでいいのかもしれない。そうは思いながらも、迷いながらこうして文章を書き続けている。

——消えてしまうかもしれない真実。

それは、純子の本当の気持ちのことだ。純子は最後まで、お前のことを本当に愛していた。

しかしそう言われても、お前は戸惑うだろう。

純子の気持ちを理解してもらうためには、あの日に起きた事実を、やはり知ってもらう必要があると思う。もう、二十年以上がたっている。純子も今では、それを許してくれるのではないだろうか。


青島から帰った雨の夜。純子はお前と別れて家に帰る途中、男二人に襲われた。あいつの家にほど近い高架下が、地回りの馬鹿どもの溜まり場になっていて、そこでいきなり腹を殴られ、意識を失ったらしい。気が付いた時には、高架近くの駐車場に止めたボックスワゴンの中で、暴行されている途中だったという。

あいつは、Tシャツを泥だらけにして、雨に濡れて、泣きながら俺の家まで歩いてきた。俺の家はその現場からすぐ近くだったし、一人暮らしのために他の誰にも知られないですむと思ったのだろう。

　こんな姿じゃあ、家に帰れない、両親にもばれてしまう、サチにも電話したけどつながらない、どこにも行く場所がない、助けてくれと泣きじゃくっていた。

　俺の顔を見て、「絶対に修一くんには言わないで！　内緒にして！」と叫んだ。俺は「絶対に言わない」とあいつに約束した。あの時の、純子のすがりつくような目、哀しみと絶望が融け合い、壊れそうになりながら、それでも必死で俺にそう訴えた目が、俺にはその後もずっと、どうしても忘れられなかった。

　俺の服を貸してやり、純子の汚れた服は洗濯機に入れ、乾燥機で乾かした。ガタガタ震えている純子に、温かい牛乳を飲ませてから、俺は自転車で現場に向かった。

　相手を見つけたらぶち殺してやろうと思ったし、純子が生徒手帳や財布などが入ったビニールバッグを奪われたと言っていたので、それを取り戻さなくてはいけないと思った。あの頃、お前もそうだったと思うが、相手が格闘技の素人なら、三人か四人は何とでもできる自信があった。

ボックスワゴンは黒で、側面に稲妻の大きな図柄が書かれていたと聞いていた。高架下の駐車場にはもうワゴンの姿は見えず、周囲に純子のバッグも見当たらなかった。

自転車で周囲をぐるぐると回りながら思いついたのは、純子の家から少し離れたダンボール工場の近くの駐車場だ。大きな屋根がついているせいか、普段、わけのわからない奴らの溜まり場になっていた。

俺はダンボール工場へ向かった。雨は相変わらず強く降っていて、下着までずぶ濡れになっていたが、そんなことはどうでもよかった。そこで黒のワゴンを見つけた。

窓はシールドになっていて中は見えない。ザアザアという雨音の中でも、近づくとワゴンの中からすさまじい大音量のハードロックの音楽が聞こえてきた。

運転席の窓を何度か強く叩くと、いきなりドアが開いて、とろんとした目をした馬づらの男が顔を出した。黒いTシャツにエレキギターのプリント。純子から聞いた二人組のうちの一人の特徴そのままだった。

そいつが脅すような口調で「ああ?」と言った途端、俺は胸倉をつかんで、「さっきの女の子に、何をした!」と怒鳴った。

相手は一瞬けげんな顔をしたが、そのまま馬鹿にするような薄笑いを浮かべた。

その瞬間、俺はそいつを地面に引きずり落とした。何人いるか確かめるために車内に顔を突っ込んだが、タバコと酒とシンナーの入り交じったような嫌な臭いの中で大音量の音楽が鳴っているだけだった。もう一人はひょろひょろとした長身で坊主頭と聞いていたが、そいつはどこかに消えていた。

後ろから男がわめきながらつかみかかってきたので、俺はそいつのレバーに思い切りボディフックを叩き込んだ。うずくまったところを、今度はみぞおちにアッパー気味のパンチを入れた。

腹ばかり狙ったのは、アマチュアとは言えボクサーである自分が素手で顔面を殴れば一発で気を失わせてしまう可能性があると思ったからだ。お前も知っている通り、顔を殴られてKOされる時は眠るような快感があるが、ボディは塗炭の苦しみを味わう。

そいつには、きちんと苦しい思いをさせたかった。

男は雨に濡れたアスファルトの上で、げえげえ吐き始めた。近寄ってまた胸倉をつかんで引き起こすと、またレバーに二発続けて左フックを叩き込んだ。

これくらいで許してやるつもりはなかった。しかしその前に、純子のバッグを取り戻さなければならなかった。

引き起こして、「あいつの白いバッグ、どこだ」と怒鳴った。そいつは涙を浮かべて、舌のもつれたような口調で「車は、俺んじゃないから、どこにしまったかわかんねぇ」と言った。もう一人の坊主頭の車らしかった。

馬づらはそう言った後、血の混じったゲロを吐き、俺のTシャツが汚れた。

「探してこい」

そいつを突き放すと、よたよたとはうようにワゴンの中へ入っていった。

数秒がたち、バッグを持ったまま顔を出したかと思うと、そのままそれを俺の数メートル後ろに投げ捨てた。俺が振り向いてそれを拾った瞬間、そいつはワゴンのドアを締めてロックをした。

ドアを何度か叩く間に車は急発進し、一回転したかと思うと、タイヤをきしませながら俺に向かってきた。あれは本気で俺を轢くつもりだったと思う。駐車場の屋根を支えるコンクリートの太い柱がすぐそばにあり、俺が柱の陰に逃げると車は急ブレーキをかけたが、止まり切れず柱に激突した。

豪雨の中で、そのまま時間が静止したように思った。

俺は運転席に向かった。ドアは開いたが、馬づらはそのままハンドルに覆いかぶさるように突っ伏して、頭はフロントガラスに当たり、ガラスがひび割れていた。

一瞬、死んでいるのかと思い、ぞっとした。

しかしすぐに馬づらは、情けない声を出しながら顔を起こした。頭から右頬にかけて血が一筋流れていたが、それほどひどい傷ではないように見えた。俺がそばにいるのを見ると、また殴られるとでも思ったのか、恐怖に歪んだ情けない表情をした。

俺はそれを見た時、怒りが急速にしぼんだ。なんて言えばよいのか、こんな奴のことはもうどうでもいいと思った。

馬づらは立ち上がろうとしたが、瞬間、また「アチチチチ」と声を上げてシートに倒れ込み、左足を押さえた。折れているか、捻挫をしているようだった。左足を押さえるようにしながら、「わりぃ、救急車、呼んでくれよ。動けねぇよ」と涙目で俺に訴えた。

俺はもう完全に、相手をする気を失っていた。

何も言わずにそのまま駐車場を離れた。

「……救急車、呼んでくれよぉ」という情けない声がまだ後ろで聞こえていた。

俺はまた雨の中を自転車に乗り、公衆電話で119番に電話し、事故のことを通報してやった。名前を聞かれたが名乗らなかった。


純子が心配だったので、俺はいったん家に帰った。純子はまだガタガタ震えていた。

バッグを渡すと小さな声で「ありがとう」と言ったが、俺の服に血が少しついているのを見て瞬間的に青ざめた。それから「どうしたの？　ケガ？」と聞いた。

「一人を見つけて、何発か殴ったよ。ゲロ、吐いてやがった」と俺は言った。

純子の気持ちが少しでもおさまればと思ったからだが、純子は再びうつむき、また震えた。

わざと明るい声で「そいつ、大馬鹿でさ。俺を引こうとして車で突っ込んできてさ」と言うと、純子が驚いて顔を上げ、俺を凝視した。

「全然大丈夫だったけどな。自分で柱にぶつかってやがった。あいつ、足くらい、折れたかもしれないぜ」と笑ってみせると、純子はようやく安心したようだった。

それから俺は、警察に届けるかと聞いたが、絶対に嫌だと言った。俺もそれ以上は勧めなかった。

俺は濡れた服を着替えてから、家のリビングで、朝までずっと純子のそばにいてやった。肩を抱いていてやりたかったが、純子は俺が少しでも近づくと、ビクン、と怯えたように体を震わせた。

それから、俺にそんな態度を取ったことに自分自身が驚いたように、小さく、ごめんなさい、と言った。俺はもう、答えてやる言葉すら探せなかった。

俺はその時、お前に対しても猛烈に腹をたてていた。なぜ純子を、きちんと家まで送っていってやらなかったのかと。それを純子に聞いた。純子は泣きながら、「修一くんとケンカをして、自分で勝手に、一人で帰ってきてしまった。修一くんは悪くない」と言った。

俺は「どうしてケンカをしたのか」と聞いた。純子はしばらく黙っていたが、俺が繰り返し聞いたのでとうとう、「有賀くんが私のことを好きだとか、不誠実なことを言ったから」とポツンと漏らした。

目の前が暗くなった。その時、俺が原因だと思った。俺がフェリーでお前にあんなことを言わなければ、お前と純子がケンカをすることもなかった。そうすれば、途中で純子が一人になり、襲われることもなかった。

　この時点で、俺はある覚悟をした。

　この事件で生じるかもしれない一切の負担は、全部、自分でかぶろうと。すでに、もう一人の相手を見つけ出し、報復をすることも決めていた。

　やがて純子は毛布にくるまったまま、ソファの上で体を胎児のように丸めた。俺は少し離れて壁にもたれて座り、ほんの少しうとうとしてしまった。純子が眠れたのかどうかはわからない。

　朝になると、純子の様子は少し落ち着いていた。「悔しいけど、こんなことで私はつぶれないし、変わることだってない。何か変わってしまったら、それはあいつらに負けたことになって悔しすぎる。私は大丈夫だから、このことは本当に誰にも言わないで」とあいつは言った。

「ご両親には？」と聞いたとたん、あいつは「あの人たちに、私のことを可哀そうだとか、絶対に思ってほしくないの」と大きな声を出し、首を激しく横に振った。

「サチにもか」と聞き返したが、「もう誰にも知ってほしくない」と純子は繰り返した。

俺はあの時、二日後にデュッセルドルフに行かなければならなかった。お前たちには言っていなかったが、実は昔から心臓が悪かった母親が、現地でバイパス手術を受けることになっていた。成功確率は高いとは言え、心臓というのが気がかりだった。もし亡くなってしまうようなことがあれば、今会っておかないとどんなに後悔するかわからないと思ったからだ。

しかし純子を一人にするのは心配だった。覚えているかもしれないが、俺は街を離れる前日、「純子に気をつけていてくれ」とお前に電話をした。しかし事情を話すこともできないままそんな話をすることは、かえってまたお前と純子の間に溝を作ってしまいそうだった。

どうしていいかわからずに迷ったが、俺は、純子の様子を見ていて、どうにか大丈夫ではないかと思った。迷いながらも、そのままデュッセルドルフに行った。

しかし、それが甘かった。

俺は、あの時に純子のそばを離れるべきではなかった。あるいは、純子との約束を破ってでも、せめてサチには話しておくべきだった。これも、何をしてもつぐないきれない俺のミスだった。

そしてもう一つ、純子を追い詰めることになった出来事があった。それは彼女の死の時点ではわからなかった。俺がそれを知ったのは、純子を暴行した相手にもう一度会ってからだった。その時俺は、ショックで気を失うかと思った。純子の死は、あの夜に自分が行ったことに関連があった。


俺は帰国してお前から純子の死を聞かされ、頭の中が沸騰するような怒りに覆われた。

あの馬づらに対する報復を途中でやめたばかりか、救急車まで呼んでしまった。もう一人にはまったく何の復讐もしていない。

お前に対しても、すまなくて仕方がなかった。自分の判断ミスで純子を殺してしまったような気がしたからだ。

今振り返っても、随分辛い思いを、お前にさせてしまったと思う。そもそもあの翌朝、サチに純子を見られてしまったというのも、お前に言われるまで知らなかった。あの時点でお前が、俺と純子の間を疑うようになってしまったのも当然だろう。

俺もどれほど、全部喋ってしまいたかったかわからない。しかしそのたびに、「修一くんには絶対に言わないで」と言った純子の目が浮かんだ。そして結局言えなかった。俺は、お前の代わりに、あいつらを、腹の底から後悔させてやろうと思った。

俺は純子の死後、一人暮らしなのをいいことに、夜になるとあいつらが顔を出しそうな場所を探し歩いた。しかしワゴンはしばらく見つけられなかった。ダンボール工場の事故では大破したようには見えなかったが、あるいは修理に出していたのかもしれない。

ワゴンを見つけたのは、純子の死から一カ月くらい後だったと思う。中央通りから少し入った倉庫街の裏道、花見川の脇にそれは止められていた。しばらく陰から見ていると、ひょろひょろと背の高い坊主頭がスカートの長い女と一緒に歩いてきて、ワゴンに乗り込もうとした。相当酔っ払っているようだった。川沿いの裏道で、もう深夜の三時くらいだっただろう。人通りはなく、その場で俺は、坊主頭に殴りかかった。

坊主頭はナイフを持っていたが、俺はそれを簡単に叩き落した。連れの女は最初、うるさく喚いていたが、俺が狂ったように坊主頭の腹を殴るのを見て、悲鳴を上げて一人だけで逃げ去った。その日にナンパしたばかりの女だったのか、一瞬でも坊主頭をかばおうとはしなかった。

腹を続けざまに殴ると、坊主頭はすぐに抵抗をやめた。痛みで泣きわめきながら何度も「わりい、自殺するとは思わなかったんだ」と言った。

俺は恐怖に引きつったような顔をしている坊主頭に、あの馬づらはどうしたかと聞いた。

もう一度、きっちり制裁してやるつもりだった。すると坊主頭は血の混じったゲロで口の周りを汚したまま、思いがけないことを言った。

「あいつ、死んだよ。知らねぇのか。お前に殴られてから四日後だ」

馬鹿な嘘をつくな、と胸元を締め上げると、「ほんとだ。新聞にも、ちょっと、出ただろうが」と情けなく喚いた。

坊主頭がたどたどしく話した内容によると、救急車で運ばれた病院では、最初は足の捻挫だけで何ともないと思われて、一泊しただけで退院した。頭部は軽い打撲傷と言われ、血の出た部分を消毒されただけだったらしい。退院した後、坊主頭はあの馬づらから、暴行した女子高生のダチのような奴に殴られ、そのせいで事故を起こした、治ったら、そいつをぐちゃぐちゃにしてやる、と聞かされたという。

しかししばらくして、馬づらは自宅でテレビを見ている時に突然苦しみ出し、そのまま死んだ。外傷性のクモ膜下出血だった。事故の際、頭内で出血が始まっていたのを、病院で見逃されてしまったらしかった。

坊主頭は、俺に襟首をつかまれたまま、「お前だよ。お前のせいだろうが」とつぶやいた。

「ふざけんな。俺は顔など殴っていない。頭を打ったのが原因なら、あいつが自分で車を急発進して柱にぶつけたせいだ」

俺はそう言いながらも、馬づらが死んだことにショックを受けていた。腹の底に、いきなり鉛を詰め込まれた気がした。

坊主頭は「そんなこと知るか。だから、俺はあの女に手紙を書いたんだ」と喚いた。思わず、「――手紙? 何だよ、手紙って」と聞き返した。

そいつは、俺がすべて知ってると思っていたらしい。しまった、という表情で言葉を中断させた。

俺はもう一度、狙いすましてみぞおちに拳を入れた。坊主頭は悶絶しながら転げまわった。

「言えよ、全部言え！　言わないと、殺すぞ！」

俺は怒鳴り、すべてを話させた。

そしてあの時に起きたことをようやく理解した。

俺はバッグを取り返したのに、その前に馬づらと坊主頭は純子のバッグに入っていた手帳で、自宅の住所や学校名などをすでにメモしてしまっていた。

それをもとに、何日かしてから坊主頭は純子に手紙を出した。俺がデュッセルドルフへ行ってしまった後だ。

――お前のダチにやられたせいであいつは死んだ。警察にばらされてそいつを殺人犯にしたくなかったら、三日後の日曜の夜中の三時に一人であの高架下にきて、お前のダチの名前を教えろ。こっちには、お前がまだ気絶している時に撮影したお前の裸の写真もある。こなかったり、警察に知らせたりしたら、写真をばらまく。

そんな内容だったらしい。坊主頭によると、写真などはそもそも嘘だった。

俺に対する仕返しに加えて、もう一度純子を弄ぼうと思ったらしい。その時、俺は何も知らず、デュッセルドルフの公園でぼんやりと母親のリハビリを手伝ったりしていた。

純子がそれを読んで一体どんな気持ちになったかと思うと、俺は可哀そうで涙が出る。

写真を撮られているという脅しは、十八歳の女子高生にとって、どれほどの絶望をもたらしたか。しかも、自分のせいで俺が人殺しになってしまい、将来を閉ざされてしまうとでも思ったのかもしれない。

俺は馬づらの死を聞かされた時は確かにショックを受けたし、自分が行動しなければあいつが事故を起こさなかったかもしれないと思うと、あれから何十年たっても、振り返るたびに気分が重く沈んでしまう。

しかし少なくとも刑法上の殺人罪に問われるような相当因果関係は、馬づらの死と俺の行動の間には存在しない。俺はあいつの頭部には一切打撃を加えなかった。車で俺を轢こうとして柱に衝突したのがクモ膜下出血の原因だから、直接的な原因はすべてあの馬づらが自分で招いたことだ。

いったい当時の純子に、それがわかっていたかどうか。思い返すと俺はあいつに「何発か殴ってやった」と話しただけで、頭は殴っていないとまでは言わなかったような気がしている。

純子は馬づらの死に関して、俺が何らかの罪に問われる可能性があるとでも思ってしまったのではないか。そして自分が死んでしまえば、馬づらを殴った人間が誰なのか知る人間はいなくなり、俺をこれ以上巻き込まなくてすむとでも思ってしまったのではないだろうか。そう考えると、俺は純子への申し訳なさで気が狂いそうになる。

いや、さらに言えば、俺は本当に、純子に救われた可能性もあるのかもしれない。

もしも坊主頭が警察に通報した場合、実際には馬づらの頭部に打撃を加えなかったことを、どこまで信じてもらえたか。今になって振り返ると、それは疑わしい部分も多い。

腹部をあれほど殴ったからには、頭部にも暴行を加えたのではないか——。警察でそんな疑いが、相当に濃くかけられただろう。あるいは馬づらの死因が本当は車の衝突によるものではなく、俺の暴行が原因だったとみなされた可能性すら、あったかもしれない。

もちろん、彼女の心の中でどういう変化があったのかは、今でも結局はよくわからない。妊娠が事実だったのかは不明だが、産婦人科の診察券があったということは、何らかの妊娠の兆候があって、その恐れと不安が消えきらなかったのだろうか。

診察券についてもう一つの可能性もある。それを考えると、俺はいっそうたまらない気持ちになる。それは、純子は警察には届けないと言ったものの、やはり思い直したという可能性だ。考えて見るとあいつは、自分を暴行した相手をそのままにしておくような人間ではなかった。

一人になって考え直し、やはりきちんと医師の診断を受けて、被害届けを出そうとしたのだとしたらどうだろう。その途端に、あの坊主頭から脅迫を受けたのだとしたら——。彼らを告訴すれば、坊主頭は馬づらが死ぬ前に暴行を加えた人間がいるということを警察に話すだろう。それは馬づらの死に俺を巻き込む可能性につながる。純子は身動きすらできなくなったのではないだろうか。

診察券に記された日付けが暴行の直後か、死の直前か、それが正確にわからない以上、すべては想像に過ぎない。しかし、今でもこの可能性は捨てきれないと思っている。

暴行のショック、写真が撮られているという嘘、両親の不仲。彼女を追い詰める要因は、あまりにも多すぎた。そしてさらに純子は、自分がいなくなれば、俺の将来を閉ざしてしまう可能性が消えるということまで、考えてしまう人間だった。

もしかすると、こんな推測も、結局は無駄なのかもしれない。

あるいは純子自身にすら、死の原因などわからないのかもしれない。

彼女は、お前も知っているように、美しい繊細なクリスタルのようだった。

凍らせた花びらが何かで弾かれたように、そのまま砕け散ってしまった。


結局、坊主頭に対して純子からの返事はこなかったという。坊主頭は今度は直接純子を脅そうと、家の近くに行ったところ、ちょうど葬儀が行われていて、純子が死んだことを知ったのだという。

「まさかよぉ――、自殺するなんてよぉ、思わねぇからよぉ」

さらに殴られるのを恐れたのか、坊主頭は口元をひきつらせるようにして、笑いを浮かべてみせた。

俺はその途端、目が見えなくなるくらいの怒りに包まれ、そいつを思い切り突き飛ばした。

誤算だったのは、それがたまたま最初にナイフを叩き落とした場所だったことだ。坊主頭はうつぶせに倒れた時にちょうどそれを拾ったらしく、振り向きざまにナイフを突き出し、それが俺の右ひじを切り裂いた。

焼けるような痛みと共に血が流れ出すのがわかったが、俺はもう一度坊主頭のナイフを奪い取り、それから文字通りそいつを叩きつぶした。今度はもう腹だけでなく顔面も殴った。

こいつ、死んでもいいと思った。

アゴを割り、前歯を叩き折ってやった。それだけでなく、急所を何度も何度も蹴り、蹴りつぶした。二度と同じことをできないように。

完全に抵抗力を失ったのを見てから、俺は自分で警察と救急車を呼んだ。


本当は、お前も一緒に報復をしたかったはずだ。すべてを知っていたら、一緒にあいつらを叩きつぶしたかったはずだ。

俺だけがそれをしてしまったことにも、すまなさを感じる。ただ、あの時の状況では、お前に打ち明ける選択肢は俺にはなかった。

純子がお前に何も言わないまま逝ってしまった理由も、もう理解してもらえたのではないだろうか。

どれほどお前に相談したかっただろうと思うと、涙が止まらなくなる。でもそうすると俺のことまで喋らざるを得ない。

馬づらの死が、俺の将来を閉ざす可能性を持つようなものであると純子は信じ込んでしまい、とにかく俺を守ってくれようとしたのではないだろうか。

俺は坊主頭に、右手のひじの筋と動脈を切られていた。

日常生活には支障はないが、速いパンチを出すことができなくなり、俺はボクシングを断念することになった。それは残念だったが、警察は俺がナイフで重症を負わされていることを理由に正当防衛を成立させ、家裁に送られることはなかった。

坊主頭も俺もお互いに純子のことは話さなかったので単なるケンカとして扱われたが、相手の急所を蹴りつぶしたことで、何か事情を察してくれた様子もあった。あいつらには純子と同様の被害者が何人もいて、警察も目をつけていたようだった。ともかく俺は、そいつらの仲間の再度の報復を避ける意味もあって、そのまま街を離れた。

そこまで手紙を読んで、修一は立ち上がった。何もかもが衝撃だった。

――純子。

思わずそんな言葉が唇から漏れた。


亡くなる日の朝、純子はきれいな夏空が描かれた絵を自宅まで持ってきてくれた。自分がその時、偶然、外へ出て純子とばったり会っていれば、彼女は死を思いとどまっただろうか。

純子は心のどこかでそうした偶然を期待しながら家にきて、でも自分に会えないまま、一人で引き返したのではないだろうか。

そして、永遠に消えてしまった。


――どうして、何も言ってくれなかった。

――どうして、何も言ってくれないまま、死んでしまった。

暴行されても、妊娠が事実でも、そして有賀を守るためでも、それでも自分には話してほしかった。


それから、気付いた。

すべての発端は自分ではないか。

冷蔵庫の扉に向かって拳を叩き込んだ。

自分は何という、鈍感で、無神経で、間抜けな人間だったのか。

あの雨の夜、市立図書館で、純子を怒らせるような不誠実な発言をしたのは自分だ。

言い争いをせず、あのまま純子を送っていったなら、すべては変わっていた。

また、思い切り冷蔵庫を殴った。物凄い音がして、扉がへこんだ。

その時、有賀のまぶしそうな微笑みが、目の前に浮かんだ。

涙がぼろぼろと出てきた。

高校を辞めることになったケンカが、純子を暴行した相手への報復だったなど、想像もできなかった。しかもそこで、あいつは、夢だったボクシングを諦めざるを得ないケガを負っている。

自分は、すべての原因を作っておきながら、有賀を恨んでいた。

——有賀。

心の中でそう語りかけた。

――お前はどうして、全部を背負い込んだ。

――自分ひとりで、どうして苦しんだ。


もう一度、冷蔵庫を殴った。

右手が裂け、血が噴き出た。昔、有賀を殴った拳の傷が、再び開いた。

そのまま床に倒れ込んだ。冷蔵庫にもたれたまま、天井を見上げた。涙で照明がぼやけた。窓ガラスに水滴が流れ、雨がまだ降り続いていることがわかった。


どれくらい時間がたったのかわからない。しばらくそのまま修一は動かなかった。頭の芯が白くなり、何も考えられないような気がした。

やがてゆらゆらと立ち上がり、再び手紙の続きを読み始めた。


――この手紙が、お前に新たな心の負担を与えてしまうことを、俺は恐れている。お前はあの雨の夜、純子を一人で帰らせてしまったことを、改めて後悔するのではないだろうか。

純子が俺に「修一くんには絶対に言わないで」と頼んだのも、おそらくは自分が暴行を受けたことを知られたくなかっただけではなく、自分を一人で帰したことについて、お前が自分を責めてしまうのを恐れたためだろうと思う。

彼女はそういう女性だった。

そうであるなら余計に、俺はこの手紙をお前に渡すべきではないのかもしれない。ここまで書いて、俺はなお迷っている。

それでも手紙を書いたのは、冒頭にも触れたように、真実を知らせなければ、純子の本当の気持ちも、このまま消えてしまうと思ったからだ。

その場合にこの先ずっと、純子がお前を裏切ったと思ったまま生きていくことになる。でも真実はそうではない。純子はお前を、本当に愛していた。

すべては二十数年も前の話だ。起きてしまったことを、今さら後悔して自分を責めないでくれ。誰のせいでもない不幸というものが、残念だが、この世の中には存在する。

そんなことより、哀しみと混乱の中で死を選んでしまった純子のことを、どうかずっと覚えていてやってほしい。今さら遅すぎるかもしれないが、これが俺の知る限りの、すべての真実だ。

最後に一つだけ、頼みがある。

長い間お前に本当のことを知らせずにいた俺のことを、まだ友人と思っていてくれるのなら、という前提付きの話なのだが。

長く会うことはなかったが、俺は今でもお前のことを、一番の親友だと思っている。だからこそ、頼みたい。

俺は妻と二人の小さい娘を、後に残してしまう。どうか彼女らのことを、心の片隅にでもとどめていてほしい。彼女らにも、お前が俺の親友だということを言い残し、お前の連絡先を伝えておこうと思う。

娘たちはまだ小さくて、妻もあまり強い女性ではない。しかし俺にはもう、あいつらに何もしてやることができない。

あいつらがもし自分の力ではどうしようもないような事態にぶつかり、もがいているような場面を見かけたら、どうか、ほんの少しでもいい、力を貸してやってくれないだろうか。

最後の最後になって、虫のよすぎる願いかもしれない。もし不快に思うなら、そして俺のことを許せないなら、今の話は忘れてくれ。

今も俺は、あの頃のことを時々思い出す。

お前と、高校の体育館のリングで何度もやったスパーリング。

お前の右フックは速く、そして角度も見えづらくて、俺は何度もまともにくらってしまった。その代わり、俺の右ストレートは、よくお前にヒットした。


帰り道、話がいつまでも尽きずに、図書館の前で自転車に跨ったまま、お前と長い間一緒にいた。お前は経済の研究者になりたいと言い、俺は新聞記者を目指すと話した。


お前や純子、サチと行った、夏休みの青島。

覚えているか?

波に浮かんだ浮き板の上で、三人で寝ていたこと。

俺が眠っていると思って、お前は純子にキスをしようとしたよな? そして純子はそれを拒んでいたようだった。

俺は実は目を覚ましていたんだが、お前らのそんな気配を感じて、寝たふりを続けざるを得なかった。

あの時、もしかしてすでに純子は、俺の気持ちを知っていたんだろうかと思うことがある。今になっては確かめようのないことだが。

――青島。総合体育大会での試合。お前とよく立ち話をした図書館前の道。あの頃のことを思い出すと、何かそこらじゅうに光があふれていたような気がする。

あの頃、自分たちの前には、真っすぐに伸びる輝くような一本の道が続いていると思っていた。実際には、崖があったり途中で折れ曲がっていたりしたが、それでも今振り返ると、決して悪い人生ではなかったと思う。

お前や純子、サチ、それに妻や娘たちも含めて、出会ったたくさんの人たちに、心の底から感謝している。


手紙はそこで終わっていた。

有賀が、手紙という古臭い手段を選んだ理由について、わかったような気がした。

彼は純子に、「修一くんには絶対に言わないで」と頼まれ、約束をした。

だからこそ、最後にこうしてすべてを打ち明ける時でさえ、直接話さずに手紙という間接的な形を取った。事実を伝えるという意味では同じでも、そうすることで、純子との約束を気持ちの上だけでも守ろうとしたのではないだろうか。

有賀はすべてに対して誠実であり続けようとしたまま、今、いなくなろうとしている。

パソコンで印字された手紙の最後に、そこだけ自筆で、有賀新太郎、というサインがあった。

高校時代のままの、左手で書いたようなへたくそな字。あっという間にそれは、涙の中に滲み、よく見えなくなった。

8

有賀が入院している香西記念病院は、築地の隅田川の近くにある。

翌日の朝、有賀の奥さんに電話をした上で、病院を訪ねた。

昨夜からの雨は上がっていたが、それでも空はどんよりと雲に覆われ、むしむしとした陰鬱な天候だ。

有賀の妻は、病院の正面玄関まで迎えに出てくれていた。まだ三十そこそこのように見えた。黒目がちの大きな瞳をした女性で、優しそうな話し方をする。

「……いかがですか」

廊下を歩きながらそう聞くと、少し寂しそうに微笑んで答えた。

「もうこの二、三日は、ほとんど意識が戻りません。その分、痛みも感じてはいないようなので、それは救いなのですが」

――意識がない。

なぜ、もっと早く有賀の病気を知ることができなかったのかと悔やんだ。もう、話をすることはできないのだろうか。

「お嬢さんたちは、今おいくつですか」

「上は小学一年なんですが、まだ下の娘は三歳で……」

彼女はそう言い、歩きながら少しうつむいた。

新たな悔いがこみ上げる。

銀座のバーで会った時、有賀はすでにガンの手術を受けていた。

その彼に対し、修一は「うちは男の子なんで、もし自分が今死んでも、なんか自分を受け継いでくれるようなものを、後に残したみたいな感じがある」と言ってしまった。

女の子しかいない有賀はその時、どんな思いでその言葉を聞いただろうか。

有賀の部屋は個室で、大きな窓から光が差し込んでいた。建物も新しく、普通の病院のような薄暗い陰気さは皆無だった。

ベッドに有賀が寝ていて、そばの長椅子に小さな女の子が腰掛けていた。目のあたりに有賀の面影がある。

「美加、パパのお友達の宮本さんよ。ごあいさつしなさい」

女の子はぴょんと立ち上がり、少し舌足らずな元気な声で、「こんにちは。アリガミカです」と言った。それから有賀の妻の顔を見上げた。

「ねぇ、ちょっとだけ、パパのお隣で寝ていい？」

「駄目よ。パパお病気だし、点滴っていうお注射してるでしょ？　美加がおふとん入ったら、針が動いて、パパがイタイイタイになっちゃうの」

「だって美加、ずっとパパとおねんねしてない」

女の子はそう言い、泣きそうに顔が歪んだ。機関車トーマスの絵が描かれた可愛らしい黄色のワンピースが、寂しそうに小さく揺れる。

この病院では、有賀のように死が決まっている患者に無理な治療をすることはないそうだ。痛みだけはなるべく除去するようにしながらも、できるだけ本人の希望通りに最期を過ごさせてくれる対応をしているらしい。こうして、いつ亡くなってもおかしくない患者にも、自由に見舞い客を会わせてくれる。

しかし、ベッドの上の有賀の顔を見た時、修一は思わず震えた。

高校時代、闘うアポロンのようだった有賀は、今や痩せ細り、生命の残骸のような肉体をさらしていた。薬の副作用なのだろう、髪の毛もほとんど残っていなかった。

口元に、うっすらとした傷跡が見える。何も知らず、自分がつけた傷跡――。

気持ちを必死で抑えつけながら、有賀の妻に聞いた。

「肝臓ガンは、やっぱり酒が原因だったんですか?」

アルコールに強い体質だっただけに、それが災いしてしまったのではないかと思えた。しかし、有賀の妻は悲しそうに首を横に振った。

「お医者様によると、もともとはC型肝炎ウィルスの感染だったみたいです。自覚症状がないまま、慢性肝炎から肝硬変に移行して、それが最終的に肝臓ガンになってしまったんだそうです。慢性肝炎から肝臓ガンになる確率は五%弱くらいしかないらしいんですけど、有賀は運が悪かったのかもしれません」

「……そうですか。感染の原因はわかったんですか?」

「主治医の先生は、C型肝炎の発端の多くは、輸血だっておっしゃってました。特に、昔使われていたフィブリノゲン製剤っていう医薬品からの感染が多いって聞きました。輸血による感染が問題視されて、輸血の際に厳密な検査がされるようになったのは一九八八年からで、それ以前の輸血は本当に危なかったんだそうです」

「彼は、輸血を受けた経験が？」

「有賀は、高校時代に大ケガをして、大量の輸血を受けたことがあるって答えていました。輸血はそれ一度だけだったそうですから、その時の感染の可能性が高いんだと思います」

——高校時代？　輸血？

部屋がいきなりゆらゆらと揺れたような気がした。

有賀は、自分ひとりで坊主頭に復讐しようとし、ナイフでひじの動脈を裂かれた。手紙には書かれていなかったが、輸血を受けたとしたら、その時しか考えられない。

「——でも、それだともう二十数年前のことです。今頃になってそんな」

「C型は潜伏期間が長いんです。感染から肝硬変になるまで、二十年以上かかることも多くて、症状が進むにつれて発ガン率が高くなるんだそうです。だからお医者様の中では、肝臓ガンの時限爆弾っていう言われ方もするみたいです。私、有賀の体にそんなことが起きているなんて、なんにも知らないで、お産の時だって、有賀にいろんな家事をやらせたりして……」

涙交じりの言葉を聞きながら、修一の右膝が崩れた。

そのまま壁に右半身を打ちつけ、目の前にあった小型の冷蔵庫に手を付き、ようやく体を支えた。大きな音がして、美加が怖がるように目を大きくしたのが見えた。

——俺は、有賀に対して、憤りを抱えたまま、生きてきてしまった。

——でも、あの夏にすべてを失ったのは、俺ではなく有賀だった。

有賀は最後の最後、手紙にすら、病気の原因になった輸血のことを書いていなかった。すべての発端を作り出した自分に、一言の、恨みや愚痴も残そうとしなかった。

——どうすればいい。

——どうやって、つぐなえばいい。

激しさをます眩暈の中で、倒れ込むように、ベッドの脇のパイプ椅子に腰を降ろす。

有賀は目の前で、細く小さく変わり果てて、一人で逝ってしまおうとしている。

「――話しかけても、いいですか？」

有賀の妻に聞くと、泣き顔のまま静かにうなずいた。

「有賀」

呼びかけたが、表情に変化はない。

「……銀座で会った時、俺たち、話し忘れたことがあるだろ。レナード、ハグラー戦だ」

有賀はただ、静かな息を続けている。自分の声は意識のどこか奥底にでも届いているだろうか。修一はそれをただ、懸命に願った。


――有賀。

――最後だろ。

――せめて、話させてくれよ。

――お前の好きな、ボクシングの話だよ。

――最後に、お前と俺が大好きだった、ボクシングのことを話そうよ。

「あれは俺が会社に入って三年目の年だった。レナードはその前に網膜剥離でいったん引退していたのに、当時最強のミドル級王者って言われたハグラーと闘うために、戻ってきた。お前、どこで見ていた？　……あの時のハグラーはあまりにも強くて、誰も倒せないって言われてたよな。それでさ、実際、あのレナードがガンガン打たれて、九ラウンドにはダウン寸前だったろ。でも、そこからの反撃は、ほんとに、こっちまで震えがくるみたいだった」

窓の外で、セミがうるさく泣いている。雲が速く流れ、窓から差し込む光が明るくなったり暗くなったりした。

――有賀、聞こえているか？　お前もあの試合、絶対に見ていたはずだ。

「ほら、レナードが若い頃みたいなきれいなフットワークを使い始めて、もの凄い速さのパンチを上下左右から乱れ打ちして、時々は、腕をぐるぐる回して攪乱《かくらん》して、ハグラーを怒らせたりしてな。結局、十二ラウンドフルに闘って、逆転の判定勝ち。俺はもう感動してさ、なんか腰が抜けたみたいになったよ」

有賀は眠り続けていた。

美加が立ち上がり、有賀の顔の近くで元気な声で言った。

「パパ、お友達がお話ししてるよ。お返事しなきゃ、駄目だよ」

「美加、大きな声出しちゃ駄目。静かにしてなさい」

有賀の妻がそう言うと、美加はしょげて長椅子に戻った。この子は父親が大好きで、有賀もきっと随分可愛がっていたのだろう。病気さえなければこれからも、この子にとって頼れる強い父親であり続けられたはずだった。

有賀の手紙の言葉が聞こえる。

――俺にはもう、あいつらに何もしてやることができない。あいつらがもし自分の力ではどうしようもないような事態にぶつかり、もがいているような場面を見かけたら、どうか、ほんの少しでもいい、力を貸してやってくれないだろうか。

有賀の耳元に唇を近づけて言った。

「有賀、奥さんとお嬢さんに何か困ったことがあれば、絶対に俺が助ける。どんなことがあっても、全力で助ける。わかったか！　わかったか！　心配するな！」

有賀の妻がうつむき、再び低く静かに泣き始めた。

痩せてしまった有賀の頬を見ながら、これまでのことを思った。彼はすべてを自分で背負い込み、決してつぶされることがなかった。

高校を三年の途中で辞めるという、自らが選んだ障害を乗り越え、望んでいた新聞記者になった。そして新聞記者のまま死のうとしていた。

国債市場懇談会の際に有賀が書いた記事。

有賀はすでにあの頃、ガンの進行を抑える化学療法を受けていたはずだった。化学療法は、治療の後、毎回ひどい頭痛や倦怠感、疲労感を覚えるのだという。命を削るようにして、彼はあの記事を書いてくれたのだろうか。

小さな声で、有賀に聞いた。

「……記者の仕事、面白かったか」

有賀は目をつぶったまま、答えなかった。

雲が割れたのか、切れ間から太陽が顔を覗かせた。生命力にあふれた強い光が薄暗かった病室に差し込み、ベッドの有賀を照らした。まるで、暗いリングに注がれるスポットライトのようだった。

――テンカウントゴング。

それは引退するボクサーに捧げられるセレモニーだ。

暗くしたリングに立つボクサーを一筋のスポットライトが照らす。

静まり返った会場に、カン……カン……カン……と、ゆっくりと十回のゴングが打ち鳴らされる。

有賀はあの頃と同じように、最後まで心が折れなかった。そして今、ようやくすべての闘いを終えて、テンカウントゴングを聞こうとしているのだと思った。

その瞬間だった。強い光に呼び戻されたように、有賀がうっすらと目を開いた。

そのままぼんやりと、修一を見た。

何かを口ずさむように、唇が動いた。

「……マエ……ッテ、……イ……」

何かを言っている。

「なんだよ。何か言いたいのか」

耳を有賀に近づけた。

有賀は再び、途切れ途切れに声を漏らした。

……マエ……ッテナイ……、ジョウブ……

有賀の言葉がわかった。

頭の芯を撃ち抜かれたように思った。

混濁した意識の中で、有賀は銀座のバーで話をした時に戻っているようだった。

修一は、金利が上がると予想したリポートがはずれかけ、社内で批判を浴びていた。弱気になりかけていたのを、有賀に随分励まされた。

今、有賀の意識に映っている修一は、あの時のままなのだろう。有賀はベッドに横たわったまま、もう一度、懸命に修一を勇気づけようとしていた。

（お前は、間違ってない。大丈夫だよ）

——有賀。

——お前はまだ、俺を心配しようとしてくれるのか。

自分の唇が、子供のように歪むのがわかった。喉から、唸り声のような泣き声が漏れ、抑え切れなかった。

——もういい、もういいよ、

——これ以上、俺の心配なんか、しなくてもいいよ。

涙が、後から後から信じられないほど流れた。

有賀の力を失った視線が、少し不思議そうに、泣いている修一を見ている。

一瞬雲が行き過ぎ、また、生命力にあふれた強い日差しが、有賀を照らした。

不意に目から膜をはがしたように混濁が消えた。

有賀が、昔のままの静かな視線を修一に注いでいた。

——有賀。

小さくつぶやき、握っていた手に力を込めた。

有賀の唇が、震えるように動いた。

何かを喋ろうとしている。

しかし聞こえたのは、うめき声のような短い低い音だけだった。

有賀は、もう一度懸命に声を出そうとした。今度は、ほら穴を風が吹きすぎるような音が漏れた。

ついさっき、途切れ途切れでも出せた声が、早くも出なくなっている。

目に、もどかしいような哀しみが漂った。

「……しゃべんなくていいぞ。無理すんな」

たまらずにそう言った。

そのまま、言葉を続けた。

「悪かった。俺は、何にも知らなかった」

有賀は一瞬、目を大きく開いた。

わずかに、首を横に振ろうとしたように見えた。

もう一度、唇が震え、うめき声のような音だけがかすかに聞こえた。

彼の手を握ったまま、修一はぼろぼろと涙を流した。かつて、白い光のようなストレートを打ち出した拳は、今は枯れ木のように軽くなってしまっている。

部屋がまた暗くなった。

太陽が再び雲に覆われている。

有賀は、力を使い果たしたように、ゆっくりと目を閉じていく。

何かが彼から去っていった気がした。死んでしまったのではないかと、恐ろしい思いが湧きあがった。

その時、握っていた手がかすかに反応した。じっと見ると、シーツの下で胸がかすかに上下しているのがわかった。

有賀はもう一度、静かに眠り始めたのだった。

「ママぁ、お友達のおじちゃん、泣いてるよ」

美加が不思議そうな様子でそう言った。有賀の妻は、自分もハンカチを目にあてながら、美加の頭に両腕を回し、胸に抱え込んだ。


有賀はそれからも十日ほどの間、病と闘い続けた。幸い、モルヒネがよく効く体質だったらしく、痛みはガン患者には珍しいほど少なかった。しかし意識が戻ることがあってもほんの一瞬で、すぐに再び混濁してしまう状況が続いた。最後の四日間はただ眠っているだけだった。

八月の最後の日曜日、有賀は力尽きた。
空が光るように晴れた日の、正午過ぎだった。

息が苦しい。

ガードのために両腕を上げ続けていることすら、もはや限界にきている。特にここ二、三年で、スタミナが急激に衰えたと思う。

相手は途切れなくジャブを出し続ける。しかしこれはフェイントで、すぐに違う攻撃がくる。

——わかっていたのに、直後に飛んできた右フックをよけきれず、ほぼまともにアゴにくらった。練習用の十六オンスの大きなグラブだし、強くは当てない約束のマス・スパーリングだが、あまりにタイミングよく入れられたため、一瞬意識が飛びそうになる。

左腕を思い切り伸ばしたままにして相手との距離を維持し、回復を待つ。相手は修一から見て右側に即座に回り込み、ワンツースリーフォーのショートストレートのラッシュ。もうひたすら、ガードを上げて、グローブで顔を守るしか手がない。

おそらくフィニッシュはアッパーがくる。

狙い通りだった。

相手のアッパーを左ひじで止めた瞬間、右フックをやや浅めだが入れることができた。

相手が嫌な顔をする。

チャンスだった。ワンツーストレートを軽く出した後、左ボディフック――を打ちかけた瞬間、空いてしまった左側のガードを縫うように、相手の右ストレートが飛んできた。またまともにアゴにくらい、再びぐらついた。

――そこでゴングが鳴った。二ラウンドのマス・スパーリングの終了だ。


リングを降りた瞬間、思い切り上を向いて、激しく呼吸した。完全に息が上がっている。わずか二ラウンドの軽いスパーリングが、今ではもたない。息を整えるために小さな円を描いてひたすら歩く。

――ありがとうございました。フック、くらっちゃいましたよ。

スパーリングの相手をしてくれた顔なじみの練習生が、そう言いながら笑顔で脇を通り過ぎた。

——こっちこそ。何発も入れられた。

そう言葉を返す。ようやく、息が落ち着いてくる。練習生は大学生で、ボクシングを始めて一年ほどだ。昔の自分なら、軽くあしらえた程度の実力なのにと、若干の情けなさを感じる。

特に最後のボディフック。

完璧に相手の動きを読みきって打てたパンチのはずだった。

ところが自分のスピードが落ちている結果、有利なはずの状況だったのに、逆にカウンターをくらった。

スピードの低下。もういくら練習を積んでも、取り戻せるものではない。

有賀の死から、三年がたった。

この間、世界経済はぐらぐらと大きな波のように揺れ動き続けた。日本だけでなく米国・欧州も新興国も、それぞれの役割を再構築することが求められているのに、新たな姿がまだよく見えないまま喘ぎ続けているようだった。

日米欧ともに企業業績は回復基調にあるが、経済はいまだ、わずかなきっかけで再び下落に向かいかねない脆弱さを見せている。

日本の長期金利は一%台という、やはり歴史的には超低金利といえる状態のまま推移していた。金利の急騰が経済や国民生活に大きな圧迫をもたらす状況には陥っていない。

しかし修一の中で、今はやはり大きな混乱の前の、一時的な〝凪《なぎ》〟に過ぎないのではないかという恐れが消えない。国債の発行残高は増え続けているし、一方では団塊世代の退職が本格化し、家計貯蓄の減少が続いているからだ。どこかで資金不足が顕在化し、急速な金利上昇とインフレが始まる可能性は、むしろじりじりと高まっているのではないだろうか。

この国が、有賀の表現した〝青いゴースト〟にならないために、自分たちには何ができるのだろう。


「おじさん、大丈夫？　痛くない？」

汗を拭いていると、受け付けの近くの椅子に座っていた有賀美加が駆け寄ってきて、心配そうに目を大きくして修一を見上げた。有賀の病室で会った時はまだ三歳だったが、今は小学一年生になっている。

「大丈夫だよ。相手のお兄ちゃん、強かったね」

そう修一が言うと、美加は唇を少しへの字形にした。修一が押されていたのがちょっと悔しかったらしい。

駿はそんな美加を、〝なに興奮してんの〟と大人ぶった様子で眺めている。もう六年生だ。クールな態度が格好いいと思い始めているらしい。

有賀の死後、年に一、二回ではあるけれど、修一は駿も連れて有賀の残された家族と食事をするようになっていた。姉のほうは恥ずかしがっていつも口数が少なかったが、美加は父親のことを話してもらうのを楽しみにしていて、特にボクシングをしていた時の様子を聞きたがった。

先月の土曜日がその食事会だった。

そこで今度、駿をボクシングジムに連れていく、とふと話すと、「美加も行きたい！」と大きな声を出した。有賀の妻が「ご迷惑だから」とたしなめると、「だってパパも、ボクシングしてたんでしょ。美加、ボクシングするところ、見たいもん」と涙目になった。「全然迷惑じゃありませんから」と有賀の妻に話し、駿と美加を一緒に連れてきたのだった。

「宮本さんの、お子さんスか?」

スパーリング相手の練習生が、タオルで汗を拭きながら近寄ってきた。

「こっちのガキはね。女の子は、友達のお嬢さん」

練習生はなにか言いたそうな顔をしている。

――お子さんがいること言っといてくれたら、もっといいとこ見させてあげたのに。

そう心の中で思っているのがわかる。ジムには時々小学生の見学があるので、まさか修一の子供だとは思っていなかったようだ。以前、彼には一度ビールを奢ってやったことがある。くったくのない、明るい性格の学生だった。

――いいんだ。

何も言わず、笑顔でそう返す。別に、手加減してもらっているところを見せたいとは思わない。

ジムの道路に面した側は、外から練習風景が見えるよう一面のガラス張りになっていて、外がまばゆいくらいに晴れているのがわかる。

「駿、お前、ボクシングやるか?」

そろそろ駿もボクシングに興味を持ってくれる年齢かもしれない。ジムに連れてきたのは、そういう期待があった。

「やんなくていい。なんか、痛そうだもん」

きっぱりした答えが返ってきた。

「でも、ボクシングやったら、強くなれるぞ」

「強くとか、なれなくていい。普通でいいよ」

照れ隠しのように、少し微笑みながらそう言った。駿は少し内気なところがある。運動もあまり得意ではないようだった。

少しがっかりしながら、いつか気持ちも変わるかもしれない、と望みをつなぐ。

「駿ちゃん、ボクシングやればいいのに。強くなれるよ」

美加がそっくり修一と同じことを言いながら、つたない動きでパンチを打つ真似をした。瞳が大きな切れ長の目に、有賀の面影がかぶったような気がして、少しどきりとした。

「そんなら、お前がやったらいいじゃん」

駿が美加に答える。一見突き放すようだが、目は笑っている。年に数度しか会わない割に、二人はどうしてだか仲がいい。

「だって、美加、女の子だもん。ボクシングなんてできないもん」

有賀にもし男の子がいたら、やはりボクシングをやらせてみようとしただろうか。

通りのケヤキの並木が風に揺れ、ガラスを通して木漏れ日がジムの床で踊った。

風がやみ、強い日差しが照りつける。ジムは冷房を入れておらず、汗が噴き出してくる。

――有賀。

三年がたった後も、強い日差しを浴びるたび、有賀のことを思い出してしまう。

彼と一緒に過ごした頃、自分も光に包まれていた。

有賀は閃光のように駆け抜けていき、自分は夏が終わった後もこうして生き続けている。

相変わらず何かに炙られているような焦燥を覚えながら顧客へのプレゼンに出かけ、リポートを書き、疲れきって一日を終える。そんな日々はこれからも変わらずに繰り返されるのだろう。

ただ最近、修一は金利動向の分析と並行して、SRIと呼ばれる社会的責任投資の研究を始めていた。銀座のバーで有賀と会った時、詳しく教えられた投資手法だ。今では株式市場も一応のカバー範囲のため、遠慮しないですむのがありがたかった。

環境に十分に配慮し、消費者や従業員に優しくあろうと努力する企業。そうした企業は結果的に収益力も強くなり、株価が上がる。資金が絶えず流れ込むようになり、新たな成長につながる。

この流れがいっそう広がれば、逆にそうした努力をしない企業には資金が入っていきづらくなり、やがて淘汰される。アメリカやヨーロッパではすでにそれが始まっている。

――個人の幸せにダイレクトに結びつく経済成長の仕組み。

それを実現するための回答の一つが、SRIを研究することで、もしかすると見えてきはしないかと思う。もちろん、それほど簡単に何かが変わるはずがないのはわかっているのだが。

衛星放送のレギュラーはUKBへの移籍後も続けていたために、柏木久美とは週に一度顔を合わせる。彼女は以前と変わらない、きれいに整えられた笑顔で修一を迎えてくれる。

プライベートで会っている時、久美の携帯が鳴ることは少なくなった。恋人と別れたのではないかと思ったが、久美が自分から話し始めるまでは聞かないつもりでいる。

「あ、そうだ」

美加が大きな声を出した。

斜めがけにしていたピンク色のショルダーに手を突っ込んでいたかと思うと、

「ママがお渡ししなさい、って」とにこにこしながら桜色の封筒を修一に手渡した。

中には、古びて色あせた一枚の写真と、便箋が入っていた。

写真を手に取った瞬間、時間が止まった。

上半身裸の二人の若者が、ファイティングポーズを決めている。

修一はオーソドックススタイルで拳を顔の前に掲げて。有賀はクロンク・スタイルで左腕だけを腰の少し上に落として。

高校総体で純子が写した写真だった。

便箋に有賀の妻のメモがあった。

――本日は美加のわがままでお連れいただいて本当に申し訳ありません。有賀が亡くなった時に美加はまだ三歳で何も覚えておらず、それが自分で悔しくて仕方がないようです。宮本様からいろいろなお話を聞かせていただくおかげで、私の知らない部分まで含めた父親の姿を、美加はだんだんと自分の中で形作っていけているのではないかと思い、言葉にならないほど感謝いたしております。

写真は先日、有賀のアルバムを久しぶりに眺めていて見つけたものです。宮本様が、いつかお食事の時に、有賀と写した写真をなくしてしまったとおっしゃっていたことを思い出し、近くの写真店でデジタル処理して複製を作ってもらいました。もしよろしければお手元に置いていただければと思います。

「パパ、なんか若いね――」

駿が写真を覗き込み、そうからかう。

「おじさんも、パパも、かっこいい」

美加が嬉しそうに言った。

修一はそのまま写真に目を落とした。

――笑っている。

自分も、有賀も、光に包まれて、笑っている。

涙が出そうになった。

この写真を写した時の純子も、輝くような笑顔を浮かべていた。あれはもうはるかに遠い場所だ。いったいどれくらいの距離を、自分は歩いてきたのだろう。

　純子の描いた絵は、実家の押入れにそのまま保存されていた。もらった直後に彼女の死が伝えられ、ゆっくり見ることもなくしまい込んでしまった絵。

　修一は有賀の死の直後に母親にそれを郵送してもらい、東向きの窓から朝の光が注ぎ込むリビングの壁に今も飾っている。

　森の土の上に仰向けに横たわり、真っすぐに空を眺めている構図。キャンバスの中心に向かって、大振りの枝が四方から伸びている。木々は濡れたように黒々と光っていて、見る者に土の甘い匂いすら思い出させる。

　真っすぐ上だけが視界が開け、夏を思わせる空がのぞいている。どうしたらこんな色を出せるのかと思うような深い青色の中に、光がまばゆく交錯している。

　過去から届いたような絵だったが、描かれた青空は朝の光を受けるとひときわ美しく輝き、自分を絶えず新しい場所に押し出してくれるように感じる。

　そして、絵の中に初めて見つけたものもあった。

キャンバスの中心部の青色の中に置かれた、左右に長い数センチ程度の小さな白。

それは上下に薄く広がり、両側に翼が伸びているように見える。

――鳥。

最初は雲のカケラにも思えたが、目を近づけると、羽の部分に細く縁取りがしているのがわかった。

見えないほどの高みを、鳥が飛んでいる。


――すごくきれいな空だよな。飛び込んでみたくなったよ。

そう言った時、純子は何かを思うようにキャンバスを見詰めていた。

そして、後になってこれを描き込んでくれていた。


この鳥は、光の中をずっと飛び続けていたいと願っていた、あの頃の自分たちだ。


はるか上空、烈しいほどの光の中。

そこからは一体何が見えたのだろう。

彼方に広がっている静かな海か。

それとも地平のはるか先へ続く、果てのない青さだったろうか。

（了）

〈出典〉
『二十歳の原点』（高野悦子・新潮文庫　P.197〜P.200より）
この作品は、二〇〇七年七月にポプラ社より『夏の光』として刊行されたものに加筆修正し、改題しております。

青い約束

田村優之

2012年 8月 5日　第1刷発行
2014年 9月15日　第13刷

発行者　奥村　傳
発行所　株式会社ポプラ社
〒一六〇-八五六五　東京都新宿区大京町二二-一
電　話　〇三-三三五七-二二一二(営業)
　　　　〇三-三三五七-二三〇五(編集)
　　　　〇一二〇-六六六-五五三(お客様相談室)
ファックス　〇三-三三五九-二三五九(ご注文)
振　替　〇〇一四〇-三-一四九二七一
ホームページ　http://www.poplar.co.jp/ippan/bunko/
フォーマットデザイン　緒方修一
組版　株式会社鷗来堂
印刷・製本　図書印刷株式会社

N.D.C.913/287p/15cm
ISBN978-4-591-13041-4
落丁・乱丁本は送料小社負担でお取り替えいたします。
ご面倒でも小社お客様相談室宛にご連絡ください。
受付時間は、月～金曜日、9時～17時です(ただし祝祭日は除く)。